WSZYSTKIE JESTEŚCIE NIEWIERNE

ZOJA, JOHN FOLLAIN, RITA CRISTOFARI

WSZYSTKIE JESTEŚCIE NIEWIERNE

Przekład
Jan Kabat

Tytuł oryginału
ZOYA'S STORY. AN AFGANISTAN WOMAN'S BATTLE FOR FREEDOM

Redaktor prowadzący
Tomasz Jendryczko

Redakcja
Teresa Katz

Redakcja techniczna
Lidia Lamparska

Korekta
Krystyna Śliwa
Agata Bołdok

Świat Książki
Warszawa 2008
Bertelsmann Media sp. z o.o.
ul. Rosoła 10, 02-786 Warszawa

Wyłączna dystrybucja: Platon Sp. z o.o.
ul. Kolejowa 19/21, 01-217 Warszawa
e-mail: platon@platon.com.pl
www.platon.com.pl

Printed in EU

ISBN 978-83-247-1506-0
Nr 6788

PROLOG

Dotarliśmy do miejscowości Torkham, u wylotu przełęczy Chajberskiej. Nasz samochód zatrzymał się przed talibskim posterunkiem na granicy afgańskiej. Moja przyjaciółka Abida pomogła mi włożyć na koszulę i spodnie burkę, a potem poprawiła materiał, by nic nie było spod spodu widać. Miałam wrażenie, że ktoś zapakował mnie do torby. Zmagając się z tą niewielką górą taniego niebieskiego poliestru, wysunęłam nogi z wozu i wysiadłam.

Posterunek znajdował się jakieś sto metrów dalej, a za nim moja ojczyzna, na którą teraz patrzyłam. Przez ostatnie pięć lat żyłam na wygnaniu w Pakistanie, był to mój pierwszy powrót do kraju. Wpatrywałam się w jego suche, pokryte kurzem góry jakby przez kraty więziennej celi. Gęsta siatka tuż przed twarzą drażniła mi rzęsy. Chciałam spojrzeć w niebo, ale od przylegającej do czoła tkaniny zapiekły mnie oczy.

Burka ciążyła mi jak całun. Pociłam się w gorących promieniach czerwcowego słońca, a kropelki potu na moim czole kleiły się do materiału. Odrobina perfum, których wcześniej użyłam – mały gest buntu z mojej strony – od razu wyparowała. Przed kilkoma zaledwie chwilami oddychałam bez trudu, swobodnie, ale teraz zaczęło mi brakować powietrza, jakby ktoś nagle odciął dopływ tlenu.

Podążyłam za Dżawidem, kiedy ruszył w stronę posterunku. Udawał mojego mahrama, czyli krewnego, bez którego władze talibskie zabraniały wychodzić kobietom z domów. Nie widziałam ani ludzi obok siebie, ani ziemi pod nogami. Myślałam tylko o oficjalnym nakazie, zgodnie z którym całe moje ciało, nawet stopy i dłonie, musiały cały czas pozostać ukryte pod burką. Zdołałam zrobić tylko kilka kroków, kiedy się potknęłam i niemal upadłam.

Zbliżając się do posterunku, zobaczyłam, jak Dżawid podchodzi do jednego z talibskich wartowników uzbrojonych w kałasznikowy, które nosili przewieszone niedbale przez ramię. Wyglądał równie dziko jak mudżahedini, żołnierze prowadzący świętą wojnę, których widywałam w dzieciństwie: obłąkany wzrok, niemyta broda, nieświeże odzienie. Sięgnął do potylicy, wygrzebał z włosów niewątpliwie wesz, a potem zgniótł ją z trzaskiem między paznokciami. Przypomniałam sobie, co moja babka mówiła o mudżahedinach: „Jeśli przyjdą do mojego domu, nie będą musieli mnie zabijać. Umrę od samego widoku ich dzikich twarzy".

Usłyszałam, jak talib pyta Dżawida, dokąd jedzie, a Dżawid odpowiada: „Te kobiety są ze mną, to moje córki. Pojechaliśmy do Pakistanu, bo jestem chory i musiałem się leczyć, a teraz wracamy do Kabulu". Nikt nie zażądał ode mnie żadnych dokumentów. Powiedziano mi wcześniej, że w przypadku kobiet jedynym uznawanym przez talibów paszportem jest burka.

Gdyby wartownik kazał mi otworzyć torbę, znalazłby pod cienką warstwą ubrań dziesięć przewiązanych sznurkiem publikacji dotyczących tajnej organizacji, do której wstąpiłam, Rewolucyjnego Stowarzyszenia Kobiet Afganistanu, w skrócie RAWA. Dokumentowały one, wraz ze zdjęciami, które nieodmiennie robiły na mnie wstrząsające wrażenie, przypadki kamienowania, publicznego wieszania, obcinania członków ludziom oskarżonym o kradzież – przy których to okazjach kilkunastoletnie dzieci musiały pokazywać zgromadzonemu tłumowi odcięte kończyny – cierpienia ofiar oblanych benzyną i podpalonych, wreszcie masowe groby, jakie siły talibskie pozostawiały na drodze swego marszu.

Były to zbrodnie popełniane przez reżim talibów, a dokumentacja opierała się na świadectwach naszych członkiń i pracownic w Kabulu. Mieliśmy przeszmuglować ją do miasta, a potem powielić w tysiącach egzemplarzy i dostarczyć jak największej liczbie osób.

Strażnik jednak nie zażądał pokazania torby. Powłócząc nogami, potykając się i tłumiąc w sobie poczucie godności, mogłam przejść przez posterunek i wkroczyć do Afganistanu.

Nie wolno nam było odzywać się do kierowcy toyoty, czyli oblepionego błotem mikrobusa, który miał jechać do Kabulu, więc to Dżawid podszedł do mężczyzny i spytał o zapłatę za przewóz. Po chwili wcisnęłam się z Abidą do samochodu i usiadłam z tyłu wraz z innymi kobietami. Musiałyśmy jeszcze chwilę zaczekać, gdyż do mikrobusu wskoczył jeden z talibów, by rzucić okiem na pasażerki. Jego podejrzenia mogła wzbudzić kobieta nosząca chociażby białe skarpetki – groteskowe prawo talibów zakazywało tego, ponieważ ich sztandar miał barwę bieli.

Uważali za obraźliwe, gdy ktoś zakrywał nią tak marną część ciała jak stopy.

Wraz z upływem czasu zaczęłam coraz dotkliwiej odczuwać ucisk opaski na głowie, która w końcu zaczęła mnie boleć. Materiał przylgnął do mokrych policzków, a gorący oddech nie miał ujścia. Siedziałam akurat na kole i brak świeżego powietrza, męczący upał, wreszcie woń benzyny zmieszana z odorem potu i niemytych stóp mężczyzn siedzących przed nami doprowadzały mnie niemal do torsji. Miałam wrażenie, że za chwilę eksploduje mi głowa.

Miałyśmy tylko jedną butelkę wody. Gdy tylko próbowałam unieść burkę i pociągnąć choć jeden łyk, płyn ściekał mi po brodzie i moczył ubranie. Zdołałam zażyć aspirynę, którą wzięłam ze sobą, ale niewiele mi pomogła. Próbowałam wachlować się kawałkiem tektury, ale musiałam jedną ręką odciągać zasłonę sprzed twarzy, a drugą machać pod burką. W końcu oparłam stopy o fotel, który znajdował się przede mną, by ochłodzić trochę nogi. Starałam się nie upaść na bok, gdy mikrobus przechylał się na ostrych zakrętach. Wolałam nie myśleć, co by się stało, gdyby runął w przepaść, która rozciągała się obok drogi.

Próbowałam rozmawiać z Abidą, co nie było łatwe; musiałyśmy zważać na słowa, a ilekroć otwierałam usta, przesiąknięty potem materiał przywierał do nich jak maska. Przyjaciółka pozwoliła mi oprzeć głowę na swym ramieniu, choć było jej równie gorąco jak mnie.

Dopiero w czasie tej podróży zrozumiałam naprawdę, czym jest burka. Zerkając na siedzące wokół kobiety, uświadomiłam sobie, że nie wydają mi się już zacofane i głupie, jak w dzieciństwie. Musiały nosić burki, w przeciwnym razie groziła im chłosta batem albo łańcuchami. Talibowie chcieli za wszelką cenę, by ukrywały swą kobiecość, by wstydziły się swej płci, lękały pokazać choć skrawek ciała. Nie pojmowali znaczenia miłości – kobiety stanowiły dla nich jedynie narzędzie seksu.

Góry, wodospady, pustynie, ubogie wioski i wraki rosyjskich czołgów, które widziałam przez zasłonę na twarzy i upstrzone błotem okno, nie zrobiły na mnie specjalnego wrażenia. Myślałam tylko o tym, kiedy skończy się ta podróż. Przez sześć godzin jazdy ani razu nie pozwolono kobietom wyjść z samochodu. Kierowca zatrzymywał się tylko na czas modlitwy, by mężczyźni mogli wysiąść i uklęknąć na skraju drogi. Dżawid wysiadał wraz z nimi i modlił się jak pozostali. Mogłam tylko czekać.

Niektóre imiona, miejsca i inne szczegóły zostały zmienione, aby chronić autora oraz osoby występujące w książce.

CZĘŚĆ PIERWSZA

Podarek z Rosji

ROZDZIAŁ I

Kabul zawsze był piękniejszy zimą, gdy spowijał go śnieg. Nawet pagórki gnijących odpadków, jedyne źródło pożywienia dla wychudzonych kurczaków i kóz, które nasi sąsiedzi hodowali przy swoich lepiankach, wydawały mi się piękniejsze, kiedy w ciągu długiej nocy okryła je biel.

Skończyłam w grudniu cztery lata i bawiłam się na śniegu z innymi dziećmi. Popychaliśmy się i wpadaliśmy na siebie, uciekając przed śnieżkami, co nie było łatwym zadaniem na ulicy tak wąskiej, że mogły się na niej minąć tylko trzy dorosłe osoby. Przerwaliśmy zabawę, kiedy któreś z nas zapragnęło coś kupić; to nie byłam ja, bo nie miałam pieniędzy, choć właściciel sklepiku w pobliżu naszego domu pozwalał mi zwykle płacić dopiero następnego dnia. Wszyscy stłoczyliśmy się w małym pomieszczeniu.

W środku była już jakaś Rosjanka. Podobnie jak mężczyźni, których widziałam maszerujących po mieście, nosiła ciemnozielony mundur i wielkie buty. Zobaczyła mnie i wyciągnęła dłoń, częstując czekoladą w lśniącym żółtym papierku. Była to jedna z moich ulubionych słodyczy.

Kobieta stanęła nade mną i powiedziała coś niezrozumiale. Nigdy przedtem nie znalazłam się tak blisko radzieckiego najeźdźcy.

Nie miałam pojęcia, co robić. Gapiłam się na jej twarz. Wyglądała jak lalka, którą nazwałam Mujda, czyli dobra nowina – płowe włosy, biała skóra i zielone oczy. Przed takimi ludźmi właśnie ostrzegała mnie babka. „Powinnaś ich unikać – powiadała surowo – to najeźdźcy, którzy okupują Afganistan. Ich dłonie splamione są czerwienią, krwią naszego ludu. Jeśli któryś z nich zechce ci coś ofiarować, nie przyjmuj tego i nigdzie też z nimi nie chodź". Zawsze jednak mówiła wyłącznie o mężczyznach, nigdy o kobietach.

Rosjanka podeszła bliżej, podsuwając mi czekoladę. Szukałam wzrokiem krwi na jej dłoni; bałam się, że jeśli jej dotknę, to się pobrudzę. Pomyślałam, że plama nigdy już nie zejdzie, choćbym nie wiadomo ile razy myła ręce. Ale na jej dłoni niczego nie było. Powiedziałam: „Nie", ale ona tylko wybuchnęła śmiechem. Rzuciła coś przy tym, nie zrozumiałam jednak ani słowa.

Zagadała do sklepikarza, a on zwrócił się do mnie.

– Mówi, że się jej podobasz i że chce dać ci czekoladę w prezencie. Dlaczego jej nie weźmiesz?

Odpowiedziałam, jak kazała mi zrobić w takiej sytuacji babka:

– Jeśli jest Rosjanką, to niech wynosi się z mojego kraju.

Potem wyszłam na ulicę.

Kobieta zrobiła to samo. Zatrzymałam się, a ona stanęła

przede mną. Dostrzegłam, że płacze. Wyciągnęła z kieszeni chusteczkę i przycisnęła ją do oczu.

Nigdy przedtem nie widziałam płaczącego najeźdźcy. Było mi jej żal. Z jednej strony pragnęłam przyjąć od niej podarek, ale z drugiej nie wiedziałam, co powie na to babka. Chciałam zawołać: „Zaczekaj, pobiegnę do babki i spytam, czy mogę wziąć tę czekoladę, czy nie". Ale słowa uwięzły mi w gardle i podreptałam szybko do domu.

Przeskoczyłam maleńki, cuchnący strumyk, który płynął obok naszego domu i który wszyscy traktowaliśmy jak prywatny ściek, pchnęłam niebieskie metalowe drzwi z obłażącą farbą i ruszyłam przez podwórze, które nazywałam ogrodem, choć nigdy nie rosły tu żadne kwiaty.

Zsunęłam buty i pobiegłam po jaskrawobarwnym dywanie. Wiedziałam, gdzie znajdę babkę. Spędzała niemal cały dzień w kącie głównego pokoju. Głowę miała zakrytą niewielką chustą i siedziała na taszaku, czymś w rodzaju materaca, dostatecznie dużego, by pomieścić pięć osób. Kładło się go bezpośrednio na dywanie. Czasem babka opierała się o ścianę z wysuszonej gliny.

Miała zawsze przy sobie taspeh – różaniec, który trzymała cały dzień w dłoni, inhalator na astmę i lekarstwo na reumatyzm. Nie znałam nikogo, kto modliłby się tyle co babka. Widziałam, jak inni robili to przez dwie minuty i zaraz wstawali, ale babka zwykła spędzać pół godziny na specjalnym dywaniku, który zawsze leżał zwinięty pod ścianą. Nawet jeśli czegoś od niej potrzebowałam albo chciałam wyjść z nią na spacer, musiałam czekać, aż skończy.

Egzemplarz Koranu, którego mogłam dotykać dopiero po umyciu rąk, też znajdował się w zasięgu jej dłoni – leżał na małym drewnianym stoliczku, zakryty ściereczką do kurzu. Babka była słaba, miała kłopoty ze wstawaniem, robiła więc wszystko w jednym i tym samym miejscu, od obierania warzyw po modlitwę do Allaha pięć razy dziennie. Kiedy mimo wszystko pracowała w kuchni, poruszała się tak wolno, że przyrządzanie posiłków zabierało jej mnóstwo czasu.

Ucinała sobie akurat popołudniową drzemkę na materacu, a ja nie śmiałam jej budzić; babka miała kłopoty z zasypianiem. Usiadłam obok i starałam się zachowywać jak najciszej. Minuty mijały z wolna. Podniosłam brązowe paciorki jej różańca i bawiłam się nimi przez chwilę. Kiedy babka się modliła, mruczała coś zwykle pod nosem, a paciorki stukały cichutko, gdy przesuwała je między palcami. Spytałam raz, co mówi, a ona odparła, że powtarza moje imię, raz za razem. Uwierzyłam jej i byłam szczęśliwa, że babka wypowiada je przez cały dzień.

Rozmyślałam o Rosjance i było mi wstyd, jakbym zrobiła coś niewłaściwego. Kiedy babka się w końcu obudziła, opowiedziałam jej, co się stało:

– Babciu, ta kobieta płakała. Było mi jej żal. Odmówiłam przyjęcia podarku, bo zawsze mi mówiłaś, że tak trzeba robić, ale może powinnam postąpić inaczej?

– Córko – powiedziała babka, która zawsze tak mnie nazywała – nieważne, że to była kobieta i że płakała. To nie powód, by przyjmować podarek. Powinnaś jej podziękować, ale postąpiłaś słusznie, odmawiając. Oczywiście, nie wszyscy Rosjanie są źli, niektórzy są tacy jak ty i ja. Ale nigdy nie zapominaj, że wkroczyli do twego kraju nieproszeni i że zmuszają cię, żebyś robiła to, czego oni chcą. A chcą zrobić z nas niewolników, wykraść naszym wielkim górom najcenniejsze skarby, ale my sami pragniemy decydować o swej przyszłości.

Rosjanie okupowali Afganistan już od trzech lat. Dokonali inwazji w grudniu 1979, kiedy miałam rok, tłumacząc to poparciem dla marksistowskiego rządu, który przejął władzę w drodze krwawego przewrotu wojskowego. Bali się, że muzułmańscy fundamentaliści, wspierani przez Amerykanów i Chińczyków, opanują kraj, tak jak zrobili to w Iranie, gdzie obalili szacha. Inwazja radziecka wciągnęła Afganistan w zimną wojnę, gdyż mudżahedini zwrócili się do Ameryki o pomoc w walce z okupantem.

*

Rodziny mojego ojca i matki różniły się pod każdym względem. Ojciec pochodził z miasta na południu Afganistanu. Podobnie jak matka, należał do plemienia Pasztunów, tradycyjnych władców Afganistanu, i mówił po persku. Lecz matka, którą rodzice posłali do szkoły i zamierzali też kształcić na uniwersytecie, nie lubiła jego rodziny. Uważała, że jest ona zacofana. Krewni ojca nigdy nie przychodzili do naszego domu. „Wszystkie kobiety w jego rodzinie noszą czadory – mówiła matka. – Uważają, że to normalne sprzedać dziewczynę przyszłemu małżonkowi za cenę kilku krów czy owiec. Twój ojciec kłócił się okropnie ze swoim ojcem, ponieważ ten wziął sobie jeszcze dwie żony, kiedy tata był jeszcze dzieckiem".

Moi rodzice byli spokrewnieni, a ich małżeństwo zostało zaaranżowane przez rodziców, co należało do zwyczaju. Uroczystości weselne nie miały jednak z nim nic wspólnego. Na ogół ślub w Afganistanie trwa cały tydzień. Nawet najbiedniejsze rodziny zapożyczają się znacznie, by wyprawić osobne przyjęcie dla pana i panny młodej i ugościć ponad tysiąc osób. Trzysta uchodzi za bardzo skromną liczbę. W dodatku każdego dnia panna młoda musi włożyć nową, drogą suknię w innym kolorze, jakby miała przejść w ciągu tego tygodnia przez tęczę.

Matka, która wyszła za mąż w wieku osiemnastu lat, uważała to wszystko za śmieszne, podobnie jak obyczaj typowy dla małych prowincjonalnych wiosek, który nakazuje młodej parze wywiesić po nocy poślubnej prześcieradło, by sąsiedzi przekonali się na własne oczy, że panna młoda była dziewicą.

Uparła się, że chce mieć skromną uroczystość, przekonana, że powodzenie w małżeństwie nie zależy od wydatków poniesionych na wesele. Postanowiła nawet nie odwiedzać salonu piękności przed ślubem. Żartowała, że z powodu makijażu będzie w chwili wyjścia za mąż o pięć kilo cięższa.

Poglądy panny młodej były dla rodziny ojca zbyt postępowe. Niektórzy utrzymywali, że skromne uroczystości są usprawiedliwione tylko wtedy, gdy ślub bierze wdowa albo gdy jest z nią coś nie w porządku, na przykład niedomaga. Ale ojciec pierwszy w swej rodzinie odebrał odpowiednie wykształcenie – studiował biologię w Kabulu – i poparł matkę. Lubił rzeczy proste i nie przypominam sobie, by kiedykolwiek mówił o pieniądzach. Rodzice postawili na swoim i w rezultacie na weselu było tylko czterdziestu gości.

Pobrali się w domu, gdzie dorastałam – tylko cztery ciemne pokoje o ścianach z utwardzonej gliny, która spadała czasem na mnie kawałkami z sufitu, gdy się bawiłam. Wszystko odbyło się bardzo szybko. Zwyczaj nakazuje, by państwo młodzi siedzieli do siebie bokiem i widzieli się po raz pierwszy w lustrze, które się przed nimi ustawia. Ale obie rodziny wyraziły zgodę, by młodzi spotkali się na kilka tygodni przed ślubem; zamienili parę słów, a ojciec dał matce złoty pierścionek zaręczynowy.

Nie było na ich weselu lustra. Matka siedziała po prostu obok ojca, miała na sobie prostą różową sukienkę o bladym odcieniu, a za biżuterię posłużył jej pierścionek, który od niego dostała, i kolczyki. Nie pokryła sobie nawet dłoni henną.

Zjawił się mułła ubrany w czystą białą szatę i spytał pannę młodą, a potem pana młodego, czy chcą się pobrać. Jest zasada, że udzielający ślubu pyta przyszłych małżonków trzykrotnie – nawet jeśli zachowują milczenie, oznacza to „tak". Potem podpisują stosowny dokument i to wszystko. Uroczystości trwały zaledwie jeden dzień. Gościom podano kabuli, naszą potrawę narodową – ryż z kurczakiem, kapustą, marchewką, rodzynkami, migdałami i orzeszkami pistacjowymi, potem bolani, to znaczy smażone placki ziemniaczane, wreszcie deser i owoce. Babka wspominała, że krewnym ojca wesele przypominało pogrzeb.

Choć małżeństwo rodziców zostało z góry zaaranżowane, połączyła ich z czasem miłość. Ojciec od samego początku szanował prawa matki. Wielu mężczyzn w Afganistanie upiera się, by po ślubie ich żony, jeśli uczą się albo pracują, porzucały wszystko i zostawały w domu. Ojciec nie postawił takiego warunku i matka mogła dalej studiować literaturę na uniwersytecie założonym przez Rosjan. Odrzuciła wcześniej dwóch bogatych konkurentów do swej ręki. Mieli dużo ziemi i konie, byli jednak zbyt konserwatywni. Ojcu nigdy nie przyszło do głowy, by mieć więcej niż jedną żonę.

Rodzice rzadko okazywali sobie uczucie w mojej obecności. Matka lubiła wiersze miłosne, czasem nawet czytała je ojcu na głos. Nigdy nie widziałam, by się całowali, ale kiedy matka czuła się wieczorem zmęczona, prosiła ojca, by ją pomasował. Pozwalali mi siadać obok; matka wyciągała się wygodnie na łóżku, a ojciec zaczynał masaż od jej głowy, potem przesuwał dłonie na kark i barki okryte koszulą nocną.

Babka powiedziała mi, że krewni ojca wyrazili niezadowolenie, kiedy się urodziłam. Wielu z nich nie kryło rozczarowania, że przyszła na świat dziewczynka. Byłam pierwszym dzieckiem rodziców, a dla większości Afgańczyków ważne jest, by pierwszy był chłopiec. W tradycyjnych wiejskich rodzinach, kiedy rodzi się chłopiec, wszyscy wołają głośno: „Urodził się chłopiec! Urodził się chłopiec!", a mężczyźni strzelają w powietrze na wiwat. Krewni i przyjaciele przynoszą pieniądze w formie podarku i wsuwają do łóżka dziecka albo matki. W niektórych rodzinach chłopcy są nawet lepiej karmieni niż ich siostry.

Kiedy rodzi się dziewczynka, nie ma radosnych krzyków i nikt nie spieszy do domu rodziców z gratulacjami. Nie ma też pieniędzy w łóżkach. Ludzie podchodzą potem do matki i mówią: „Nie martw się, następny będzie chłopiec".

Rodzina ojca pragnęła chłopca, ponieważ byłby silniejszy niż dziewczynka, poza tym matka mogłaby na starość zamieszkać w domu swego syna – w przypadku córki nie było takiego zwyczaju. Ale ojciec nie podzielał zdania krewniaków i oświadczył, że będzie mnie kochał tak jak chłopca.

Ojciec zawsze mi mówił: „Musisz zostać lekarzem, jak dorośniesz. Albo dobrą nauczycielką, która będzie wędrować po kraju i nieść ludziom wiedzę". Wiązał z moją osobą tyle planów, że matka śmiała się z niego: „Mam tylko jedną córkę, a ty chcesz, by robiła tak dużo rzeczy. Nie zdoła zrealizować wszystkich twoich marzeń". Ojciec patrzył poważnie i odpowiadał: „Zobaczysz, dokona czegoś wielkiego. Stać ją na to".

Kiedy spytałam babkę, co sądzi o tym, że jestem dziewczynką, odparła:

– To dobrze. Czuję w głębi serca, że jesteś mi jednocześnie synem i córką. Masz w przyszłości być tak silna, żeby nikt nie pomyślał, że jesteś kobietą.

Spytałam, jak wyglądały moje narodziny.

– Pewnego dnia szłam ulicą – odparła – i zobaczyłam piękne dziecko na wystawie sklepu. Przystanęłam i przyglądałam mu się długo, potem weszłam do środka i powiedziałam właścicielowi, że nie mam pieniędzy, ale chcę mieć tę piękną córeczkę. Odparł, że jesteś bardzo droga. Poszłam więc żebrać na ulicę, zdobyłam pieniądze i kupiłam cię. Tak się narodziłaś.

Byłam dumna, że jestem takim drogim dzieckiem.

ROZDZIAŁ II

Jak daleko sięgam pamięcią, zawsze tęskniłam za matką. Była wysoka i szczupła, miała duże czarne oczy i piękne czarne włosy. W wolnych chwilach gotowała mi coś ulubionego, na przykład kurczaka z ryżem albo jagnięcinę, a potem bawiła się ze mną w chowanego albo ciuciubabkę. Wiedziałam, że oszukuje i widzi przez opaskę na oczach, ale w ogóle na to nie zważałam.

Przez większość dni jednak wychodziła z domu wczesnym rankiem i wracała późnym wieczorem. Była tak zmęczona, że nie śmiałam pytać, czym się zajmuje. Czułam, że w ciągu dnia ma ważniejsze sprawy na głowie niż ja, ale wiedziałam też, że wieczorem wróci do domu i będzie należała tylko do mnie.

Często, gdy ktoś stawał w drzwiach i pytał o nią, miałam mówić, że matki nie ma w domu. Nie lubiła mówić przy mnie o swojej pracy. Widziałam jednak, że jej krewni nie są zadowoleni, chociażby ciotka Nasima, jedna z jej sióstr. Bardzo się różniła od matki – już z daleka słyszałam stukot jej wysokich obcasów na podwórzu. Za każdym razem miała na sobie inną sukienkę i często poprawiała jasnoczerwoną szminkę na wargach. Lubiła zbytek.

Pewnego lata, kiedy miałam pięć lat, usłyszałam przypadkiem, jak ciotka Nasima mówi przy herbacie do matki:

– Pomyśl o mężu i córce. Powinnaś się postarać o przyzwoitą pracę, stać cię będzie na lepsze rzeczy, będziesz mogła też spędzać więcej czasu z córką. W końcu masz tylko ją.

– Nikt mnie do tego nie zmusza – odparła matka. – To moja decyzja.

– Pomyśl jednak o ryzyku. Policja i tajne służby są w tej chwili bardzo aktywne, a ty bywasz w tych niebezpiecznych miejscach! – nie ustępowała ciotka Nasima.

Rozmowa stała się głośna, wstałam więc i wyszłam z pokoju. Rodzice nigdy nie lubili, kiedy przebywałam w takich sytuacjach w pobliżu. Nie uszłam jednak daleko, gdy matka ucięła dalszą dyskusję:

– Dosyć już się nasłuchałam. Nie chcę marnować czasu, tylko to się dla mnie liczy.

Byłam zła na ciotkę Nasimę, że mówi do matki podniesionym głosem. Nie miała prawa jej w taki sposób łajać. Nie wiedziałam też, co oznaczają jej uwagi o policji i tajnych służbach.

Kiedy już sobie poszła, a matka znów zaczęła szykować się do wyjścia z domu, zebrałam się na odwagę i spytałam:

– Mamo, dlaczego jesteś zawsze taka zmęczona? Dlaczego ciągle cię nie ma? Inne matki na naszej ulicy codziennie siedzą z dziećmi w domu.

– Przykro mi, Zoju, ale mam mnóstwo pracy. Chciałabym z tobą zostać, ale nie mogę – odparła.

Rozumiałam, że matka różni się od kobiet na naszej ulicy, ale nic ponad to. Czułam się samotna, inna niż dzieci z sąsiedztwa. Ich ojcowie wychodzili codziennie do pracy, podobnie jak mój tata, ale matki zostawały w domu. Ilekroć wysyłano mnie do łóżka przed powrotem matki, nie umiałam zasnąć. Babka nie bardzo mogła mi pomóc. Sama miała z tym kłopoty, choć udawała, że się nie martwi. „Śpij, córko, sprawdzę, czy z matką wszystko w porządku, kiedy wróci – powiadała. – Wykonuje ważną pracę i pewnego dnia będziesz musiała się postarać, by być taka jak ona".

*

Kilka tygodni po wizycie ciotki puszczałam z ojcem latawiec z dachu naszego domu – była to jedna z tych rzadkich okazji, kiedy mógł ze mną spędzić cały dzień – zważając przy tym, by nie rozdeptać pomidorów dojrzewających w wiosennym słońcu, kiedy usłyszeliśmy pukanie do drzwi. Byłam za mała, by poradzić sobie z latawcem. Często nie mogłam utrzymać sznurka i latawiec wymykał mi się z rąk, szybując w niebo, a jego ogon machał mi na pożegnanie, wysoko ponad minaretami i kopułami meczetów, a potem górami, które otaczały moje miasto i dawały mi poczucie bezpieczeństwa.

Ojciec nigdy się za to na mnie nie gniewał. Schodził z dachu i sklejał następny latawiec z jasnoniebieskiego, czerwonego i zielonego papieru, po który wysyłał mnie do pobliskiego sklepu. Nad Kabulem zawsze unosiło się mnóstwo latawców, całe setki, było ich więcej niż ptaków. Atakowały się nawzajem, a ojciec z wielką wprawą kierował w górze naszym i przecinał sznurek rywala, który zaczynał się wzbijać bez końca ku niebu, aż wreszcie znikał.

Ojciec kazał mi sprawdzić, kto czeka przy drzwiach, zeszłam więc ostrożnie po drabinie, a potem ruszyłam przez nasz zakurzony ogródek. Otworzyłam drzwi i ze zdumieniem ujrzałam jakąś kobietę w brudnej, żółtej burce. Była sama.

Często widywałam na ulicach Kabulu kobiety kryjące się pod tymi burkami. Wyglądały tak dziwnie obok pięknych młodych kobiet z miasta, które spacerowały beztrosko parami, umalowane i w krótkich spódniczkach. Afganki zapłaciły za prawo odkrywania twarzy wysoką cenę: kiedy premier i jego ministrowie pokazali się publicznie w 1959 z żonami i córkami, które miały odsłonięte twarze, mułłowie sprowokowali zamieszki i trzeba było użyć wojska, by je stłumić.

Pięć lat później nowa konstytucja proklamowała równość mężczyzn i kobiet. Lecz przywódcy religijni nigdy nie zaakceptowali prawa kobiet do pracy, a gdy reżim ogłosił, że dziewczętom wolno wybierać sobie mężów i ustanowił w 1970 obowiązkowe nauczanie dla kobiet, gniew duchownych, widoczny najsilniej na prowincji, zagroził rządowi, który zwrócił się do Rosjan o pomoc.

Patrzyłam na kobiety w burkach i próbowałam sobie wyobrazić, jakie mają twarze. Chciałam spytać, dlaczego tak się ubierają, ale nie śmiałam tego zrobić. Nigdy przedtem żadna z nich nie zjawiła się w naszym domu.

Rodzice powiedzieli mi, że wkładają je tylko kobiety z odległych wiosek, takie które nie umieją czytać ani pisać. Nosili je także żebracy i prostytutki, które nie chciały się odsłaniać.

Nie miałam zamiaru wpuszczać tej kobiety. Wpatrywałam się uporczywie w gęstą siatkę przed jej twarzą, ale widziałam tylko fragment oczu, brwi i grzbiet nosa. Nie byłam nawet w stanie odgadnąć koloru źrenic. Nie wiedziałam, kim jest, i zastanawiałam się, dlaczego tak skrywa swoją postać.

Kobieta przemówiła dziwnym, głębokim jak u mężczyzny głosem:

– Zoju, moja kochana, maleńka Zoju, dlaczego mnie nie wpuszczasz?

Przeraziło mnie, że ta kobieta zna moje imię. Chciałam zamknąć drzwi i pobiec z powrotem do ojca. Ale ona przekroczyła brudny strumyk i weszła do ogrodu. Potem zamknęła za sobą drzwi i pochyliła się nagle, by unieść burkę jednym zamaszystym ruchem, który cisnął mi w twarz chmurę kurzu; poczułam, jak pieką mnie oczy. Po chwili dostrzegłam, że kobieta uśmiecha się do mnie.

To była matka. Objęłam ją z wielką ulgą, tuląc twarz do jej szyi, by poczuć znajomy zapach perfum, ale byłam trochę zła, że sobie ze mnie zażartowała, i powiedziałam jej o tym.

– Dlaczego to założyłaś? – spytałam, wskazując burkę przerzuconą przez jej ramię. Ilekroć spotykałyśmy na ulicy tak ubrane kobiety, matka mówiła, że nienawidzi tego stroju i że biedaczki tylko się męczą.

– Bo wygląda atrakcyjnie – odparła ze śmiechem.

Wiedziałam, że żartuje, ale nie zdradziła mi prawdziwego powodu. Szybko o wszystkim zapomniałam, gdy matka, choć zmęczona, weszła ze mną na dach, by przyłączyć się do zabawy. Miałam rodziców wyłącznie dla siebie. Matka nie dorównywała ojcu w puszczaniu latawca, ale też to lubiła.

Było to moje pierwsze wspomnienie matki ubranej

w burkę. Dopiero później się dowiedziałam, że włożyła ją, by ocalić życie pod radziecką okupacją. Nie byłam sobie nawet w stanie wyobrazić, że ja pewnego dnia sama, a wraz ze mną kobiety nie tylko w moim mieście, ale w całym kraju, będziemy musiały pod rządami innego reżimu nosić ów strój z tego samego powodu.

*

Najwcześniejsze wspomnienie walk między mudżahedinami a Rosjanami przybyłymi do mojego miasta pochodzi z pewnej lutowej nocy w 1984 roku. Miałam wtedy sześć lat. Pamiętam, że obudziłam się nagle w swoim łóżku. Zawsze budziłam się szybko, gdy tylko zapiał kogut, a muezin wzywał po raz pierwszy na modlitwę. Babka wstawała wtedy z łóżka, klękała na dywaniku i zaczynała się modlić, a ja zasypiałam szybko z powrotem.

Tym razem było inaczej. Słyszałam jedynie termity, które chrobotały bezustannie swymi mikroskopijnymi szczękami, przegryzając się przez mój stolik i krzesło – miały taki apetyt, że kiedy siedziałam nad jakimś rysunkiem, podłokietnik po prostu odpadał; byłam do nich przyzwyczajona i nie przeszkadzało mi, że dzielę z nimi sypialnię. Nie wiedziałam, co mnie obudziło, ale wkrótce się przekonałam – odgłos czegoś ciężkiego, uderzającego w ziemię z głuchym łomotem. Po chwili znowu. I jeszcze raz. Nie miałam pojęcia, jak blisko albo jak daleko to coś się znajdowało, ale nie chciałam zostać sama. Odrzuciłam więc pościel i boso, w koszuli nocnej, wybiegłam z pokoju do ogrodu, gdzie uderzyła mnie fala chłodnego powietrza, i wpadłam do sypialni babki, po czym wspięłam się na jej łóżko.

Babka miała kłopoty ze słuchem i spała jak kamień.

– Co się dzieje? – spytała z grymasem przestrachu na krągłej twarzy, kiedy nią potrząsnęłam.

– Posłuchaj tylko. Co to jest? – spytałam ja z kolei. Wtedy znów zagrzmiało. Babka przycisnęła mnie do piersi. Były ciężkie i ciepłe, wciąż pachniały talkiem, który kupowała na bazarze, a brzuch miała tak wielki i miękki, że przypominał ciasto. Lubiłam zapach jej długich włosów, które były kruczoszare i związane niemal zawsze w węzeł.

– W porządku, możesz tu zostać i spać ze mną – powiedziała.

– Ale co to jest? – chciałam koniecznie wiedzieć.

– Nic, córko, nie martw się. Spróbuj zasnąć. – I opowiedziała mi swym cichym, łagodnym głosem o pięknej wróżce i królu, który pragnął jej tylko dla siebie.

Nazajutrz rodzice powiedzieli mi, że były to tylko ćwiczenia wojskowe. Ale od tej pory spałam niemal zawsze z babką, w jej łóżku albo swoim, które przeniesiono do jej pokoju. Powiedziała mi, żebym przychodziła w nocy do niej, a nie do rodziców, ponieważ mogłabym im przeszkadzać, pragnęła poza tym mieć mnie u swego boku. Chętnie usłuchałam, byłam przy niej spokojniejsza niż przy rodzicach.

Pomimo ich wyjaśnień zaczął mnie w nocy prześladować koszmar, zawsze ten sam. Śniłam, że stoję na szczycie góry i że lada chwila zacznę spadać w dół, nie wiedziałam tylko, czy sama chcę skoczyć, czy też ktoś lub coś zamierza mnie zepchnąć. Budziłam się tuż przed upadkiem.

Kilka dni później znów usłyszałam ten dźwięk. Siedziałam w głównym pokoju i rysowałam klatkę dla ptaków, podobną do tych, jakie widywałam na bazarze. Babka była akurat w kuchni – w domu zawsze unosił się zapach gotowanych potraw: ryżu, fasoli albo jakichś warzyw – gdy na szybach pojawiły się nagle zygzakowate pęknięcia. Cały dom się zatrząsł. Ja też zadrżałam i ze strachu upuściłam kredkę.

Przez chwilę patrzyłam bez ruchu na okna. Nie mogłam pojąć, jakim cudem pękły jednocześnie oba. Czyżby ktoś zrobił nam żart i cisnął w tym samym momencie dwoma kamieniami, chcąc nas przerazić? Nikogo jednak w ogrodzie nie dostrzegłam.

Babka wpadła do pokoju i porwała mnie w swe miękkie objęcia. Nie miałam już ochoty dłużej rysować. Zastanawiałam się tylko, czy popękają też inne okna i czy kawałki szkła spadną na mnie.

Później babka mi wyjaśniła, czym są bomby – że rzucają je mężczyźni z gór wokół mojego miasta, i to tak daleko, że mogą wybuchnąć w samym środku jakiegoś domu z mieszkańcami pogrążonymi we śnie i nikt się nawet nie zbudzi. Od tej pory upierałam się, by spać przy zapalonym świetle. Do dzisiaj tak zasypiam.

W latach radzieckiej okupacji miałam słyszeć ten dźwięk jeszcze wielokrotnie, ilekroć mudżahedini podchodzili do Kabulu i ostrzeliwali jego peryferie, znacznie rzadziej samo miasto. Rosjanie odpierali ataki na jakiś czas, ale potem dowódcy afgańscy znów zbliżali się do stolicy i znajomy dźwięk powracał.

Spałam o wiele lepiej zimą, gdy cała moja rodzina spędzała noc w tym samym pokoju, skupiona wokół sandali, będącej jedynym źródłem ciepła w domu. Babka wsuwała pod niewielki stolik zwykłą żarówkę, a potem przykrywała go narzutą, my zaś siadywaliśmy dookoła otuleni kocami. Było nam dostatecznie ciepło, należało tylko uważać, by nie poparzyć sobie stóp. Z powodu owej sandali - która według babki przyczyniała się do mojego lenistwa - zawsze wypatrywałam pierwszego dnia zimy i czekałam na chwilę, gdy zasiądziemy wokół stolika, by popijać herbatę i rozmawiać.

Bardzo nie lubiłam oddalać się od sandali, choćby na krótko - żeby umyć zęby albo przebrać się w koszulę nocną - ponieważ w pozostałych częściach domu panował przejmujący chłód. Czasem było tak zimno, że śnieg na dachu zamieniał się w lód i ojciec musiał go kruszyć, i zrzucać, by strop się nie zapadł. Kiedy spaliśmy wokół sandali, żarówka paliła się całą noc, by nas ogrzać.

*

Ponieważ rodziców bardzo często nie było w domu, wychowywała mnie babka. Jest najważniejszą osobą w moim życiu - ważniejszą nawet niż ojciec i matka - gdyż spędzała ze mną więcej czasu niż oni. Jednym z powodów, dla których tak bardzo ją kocham, jest to, że w przeciwieństwie do moich rodziców nigdy nie zmuszała mnie do popołudniowej drzemki. Nazywam ją „babką", ale nie była z nami spokrewniona. Moja prawdziwa babka zmarła, kiedy byłam bardzo mała.

Raz słyszałam, jak ciotka Nasima rozmawia o tym z matką. Matka była zła na nią i kazała jej siedzieć cicho. Nigdy nie pytałam rodziców, jak poznali babkę. Nie chciałam tego wiedzieć. I ilekroć babka poruszała ten temat, przerywałam jej. „Jesteś dla mnie prawdziwsza niż rodzona babka", mówiłam.

Matka zdawała sobie sprawę, jak bardzo kocham babkę, ale nigdy nie zrobiła ani nie powiedziała niczego, co mogłoby świadczyć o jej zazdrości. Jakby pragnęła, by babka mnie chroniła.

Babka nazywała się Nabila. Była zamożniejsza od moich rodziców i zamieszkała w naszym domu po śmierci swego męża, kiedy miałam zaledwie siedem miesięcy. Zostawiła trójkę własnych, dorosłych już dzieci, żeby być ze mną. Zawsze powtarzała, że kocha mnie ponad wszystko w świecie.

Kiedy skończyłam sześć lat, w moim życiu pojawił się pewien rytuał: biegałam do babki z książką, którą wykradałam po cichu z ojcowskiej biblioteki, kiedy byłyśmy same w domu. Ojciec upominał, bym nie wchodziła do jego gabinetu, ale książki przyciągały mnie jak magnes – mimo że nie umiałam czytać.

Podobało mi się, że każda ma inny kolor, wiedziałam też, że są pełne różnych historii – kiedy prosiłam matkę, by mi coś opowiedziała, szła do gabinetu i przynosiła jakąś książkę. Potem ją otwierała i zaczynała się opowieść.

Musiałam być ostrożna. To nic, gdybym upadła i skaleczyła się. Chodziło o książkę. Wiedziałam, jak bardzo ojciec by się rozgniewał, gdybym upuściła przy okazji którąś albo zaplamiła stronę herbatą.

Wybierałam zwykle szczególnie ciężki tom, bo wydawało mi się, że kryje jakąś ciekawą historię, i zanosiłam go babce. Rozsiadała się na dywaniku, wkładała okulary i zaczynała czytać. Wszystkie opowieści zaczynały się tak samo: „Pewnego razu żyła sobie mała dziewczynka, która przebywała sama z babcią...".

Sądziłam w każdym razie, że czyta. Nie miałam pojęcia, że książki, które jej przynosiłam, dotyczyły biologii, chemii albo polityki. Wiedziałam tylko, że nie ma w nich obrazków, ale historie są zazwyczaj ciekawe. Babka, choć umiała czytać, nie rozumiała nawet słowa z książek, które jej przynosiłam, i sama wymyślała te historie na poczekaniu. Nigdy nie chodziła do szkoły, nie znała nawet roku swych narodzin.

Zawsze prosiłam babkę, by nigdy nie mówiła ojcu o książkach z biblioteki. Zdarzyło się raz, że zachlapałam stronę herbatą. Powiedziała mu wtedy, że sama mnie poprosiła o przyniesienie książki z gabinetu.

Matka mnie strofowała. „Dlaczego chodzisz do gabinetu ojca i zabierasz jego książki? Przecież masz w pokoju własne", mówiła. Ale moje wydawały mi się nudne, bo już wiedziałam, co w nich jest. Zresztą nie przejmowałam się jej narzekaniem. Była stale nieobecna albo zajęta, a głos babki liczył się w domu bardziej.

Jej opowieści wypełniały mi dni. Mówiła o królach, którzy rządzili Afganistanem, torturowali i zabijali swych poddanych. Opisywała dzieje wielu różnych plemion tworzących Afganistan – historycy nie mogą się zdecydować, czy kraj, który jest muzułmański, lecz nie arabski, należy bardziej do Azji Środkowej, subkontynentu indyjskiego czy może Bliskiego Wschodu.

Opowiadała mi o plemieniu Pasztunów, do którego należę, nadmieniając przy tym, że choć dało ono Afganistanowi wielu władców, nie ma powodów do dumy. Wielu pasztuńskich monarchów nie chciało bić się o niepodległość kraju: poddawali się każdemu, kto najeżdżał go w owym czasie. Emir Abdurrahman na przykład był sławny z dwóch powodów: miał ogromny harem i pragnął za wszelką cenę zniszczyć plemię Hazarów, którego członkowie, jak utrzymywała babka, mieli twarze o chińskich rysach. Król ten wzniósł wieżę z głów wrogów, których pozabijał. Babka nie wiedziała, jak wysoka była ta wieża.

Jej opowieści bawiły mnie, ale miały też walor edukacyjny. W jednej z nich rodzice nakazują małej dziewczynce, by nigdy nie otwierała drzwi domu przed rosyjskim żołnierzem – „...możesz ich łatwo rozpoznać, bo mają płowe włosy, białą skórę i zielone oczy" – lecz żołnierz mimo wszystko wdziera się do domu i próbuje porwać małą dziewczynkę. Ta wzywa głośno pomocy i jej rodzina przybiega w ostatniej chwili.

Opowiadała mi historie o bogatych i biednych, kończąc zawsze tak samo: „Niektórzy ludzie są bogaci, inni biedni, i oni właśnie muszą walczyć, by przetrwać i bronić swych praw. Pewnego dnia i ty będziesz musiała walczyć", powiadała.

Lubiłam jej historie, lecz gdy babka zaczynała mówić o mojej przyszłości, przestawałam słuchać. Spoglądała na mnie i nakazywała surowo: „Córko, słuchaj tego, co mówię. Być może dzisiaj moje słowa nie mają dla ciebie znaczenia, ale pewnego dnia przekonasz się, jak były ważne".

Wiem teraz, że powinnam była słuchać jej uważnie i że była dobrym nauczycielem. Choć sama nie walczyła z nakazami obyczaju, to w przeciwieństwie do wielu kobiet owych czasów żywiła nadzieję, że ja, a także inne kobiety mego pokolenia, będziemy czerpać wiedzę z jej błędów.

ROZDZIAŁ III

Pewnego ranka, kilka dni przed moimi siódmymi urodzinami, matka wezwała mnie do siebie. Siedziała akurat przed toaletką. Kiedy przybiegłam, podniosła mnie i posadziła sobie na kolanach. Uwielbiała takie chwile. Prosiłam ją wtedy o kilka kropel jej perfum albo żeby przynajmniej pozwoliła mi przysunąć się do siebie i poczuć ich woń. Chciałam koniecznie wiedzieć, skąd pochodzi zapach tych perfum. Na toaletce leżała serweta w kwiaty wyhaftowana przez babkę, a na niej, obok innych przyborów toaletowych, matka trzymała swoje perfumy. Zazwyczaj tylko dwa małe flakoniki, ponieważ były bardzo drogie. Matka zawsze powtarzała, że jeśli perfumy są tanie i kiepskie, to woli się bez nich obejść.

Perfumy były dla niej najlepszym prezentem i raz nawet kupiłam je na bazarze. Nie należały chyba do jej ulubionych, ale i tak obsypała mnie pocałunkami. Zawsze mi mówiła, że te z Paryża są najsłynniejsze w świecie. Najbardziej ceniła sobie „Charlie".

Zazwyczaj matka nie pozwalała mi zbliżać się do flakoników. Wiele razy karciła mnie za to, że ich używam, choć jestem brudna po dniu spędzonym w ogrodzie albo na ulicy. „Niedobra z ciebie dziewczyna. Najpierw się wykąp, a potem się perfumuj!", mawiała.

Ale tego ranka 1985 roku pozwoliła mi wziąć odrobinkę, a potem przybrała poważny wyraz twarzy i spojrzała mi w oczy.

– Chciałabyś pójść ze mną do pracy? – spytała.

Poczułam się taka dumna, że bez wahania odparłam twierdząco; nie przyszło mi nawet do głowy spytać, co miałabym robić. Wkrótce się dowiedziałam. Mama poprosiła, żebym przyniosła swój plecak, ten z wizerunkiem misia. Potem wsadziła do niego kilka zabawek, moją butelkę na napoje – aż do siódmego roku życia chciałam pić mleko wyłącznie z butelki – i trochę dokumentów, których nigdy wcześniej nie widziałam, i znów posadziła mnie na kolanach, by mnie odpowiednio poinstruować.

– Jeśli ktokolwiek nas zatrzyma, będziesz mówić, że idziemy po zakupy. Nie wolno ci mówić nic innego i pod żadnym pozorem nie możesz wspominać o tych papierach w swoim plecaku. Jeśli ktoś je znajdzie, masz powiedzieć, że nic o nich nie wiesz. Zapamiętasz?

Skinęłam głową. Matka wyglądała na zadowoloną i włożyła tę okropną burkę.

– Dlaczego ją nosisz? Myślałam, że jej nienawidzisz – powiedziałam.

– Owszem, ale muszę ją włożyć, bo inaczej nie będę mogła wykonać swojej pracy – odparła.

Trzymając się za ręce, wyszłyśmy na ulicę. Odwiedziłyśmy kilka domów, matka w każdym spędzała parę minut. Czasem zabierała mnie ze sobą do środka, widziałam wtedy, jak rozmawia pospiesznie z ludźmi i daje im któryś z tych papierów. Innym razem zostawiała mnie na ulicy.

– Wypatruj żołnierzy i każdego człowieka, który może szpiegować dla policji – mówiła.

Babka wiedziała, że niewiele ryzykuję, zważywszy na wiek, i aprobowała moje nowe zajęcie. Ojciec nie chciał się wtrącać, szanował pracę, którą wykonywała matka. A ona wydawała się zadowolona z mojej pomocy, choć czasem zdarzało mi się zapominać, że o coś mnie prosiła, i wtedy gniewała się na mnie.

Była to dziwna i męcząca praca, gdyż matczyne wyprawy trwały czasem kilka ładnych godzin. Nie wydawało mi się, by miały jakieś większe znaczenie, ale byłam tylko dzieckiem i liczyło się dla mnie to, że już pomagam matce. A ona wybrała właśnie mnie – słyszałam, jak babka zaoferowała swoją pomoc, ale jej propozycja została odrzucona.

Moje wycieczki z matką były dość rzadkie i oczekiwałam ich z niecierpliwością. Niczego tak nie uwielbiałam jak przebywać z dorosłymi, czy to z babką, czy z rodzicami. Nigdy nie przepadałam za towarzystwem dzieci, uważałam ich zabawy za głupie i nie podobało mi się, że czasem wyśmiewają się ze mnie z błahych powodów, jak to dzieci. Wolałam siedzieć w domu z babką. Moi kuzyni pytali zwykle matkę: „Dlaczego ona taka jest? Dlaczego się z nami nie bawi?". Matkę to irytowało. „Zachowuj się jak dziecko – mawiała. – Nie siedź tu ze mną i babką". Zamykałam się w swoim pokoju, kiedy dzieci przychodziły po mnie i wołały, że na naszej ulicy zjawił się właśnie sprzedawca zabawek z kijem, na którym były zawieszone różnego rodzaju balony, małe lalki i modele rosyjskich helikopterów i czołgów. Nigdy nie miałam przyjaciela wśród rówieśników. Moją największą przyjaciółką była babka, która lubiła powtarzać: „W domu jesteś lwem, ale na zewnątrz myszą". Po latach spotkałam dziewczynę, która znała mnie w Kabulu jako dziecko. „Ilekroć do ciebie przychodziłam, nie chciałaś ze mną rozmawiać", przypomniała mi. Problem polegał pewnie na tym, że byłam przyzwyczajona do przebywania w samotności albo z rodzicami i oczekiwałam od dzieci, że będą się zachowywać jak dorośli. Jeśli zachowywały się jak dzieci, wydawało mi się to nudne.

Ciekawiła mnie tylko jedna dziewczyna na naszej ulicy. Jej ojciec, który miał długą brodę, nie chciał, by się z kimkolwiek bawiła, dlatego stała zawsze z dala od innych dzieci, pod swoim domem, obwiązana nieodmiennie czadorem zakrywającym niemal całą głowę i twarz. Spytałam o nią babkę. Powiedziała mi, że jej ojciec ma cztery żony i rzadko pozwala im wyjść z domu. „Wszyscy w tej rodzinie są głupi – oświadczyła. – Nie próbuj nawet z kimkolwiek rozmawiać". Później, kiedy już rozumiałam, co to słowo oznacza, zdradziła mi, że ojciec tej dziewczynki był prawdopodobnie fundamentalistą.

Bawiłam się tylko z Khadiją. Mieszkała trzy domy dalej, a jej matka była nauczycielką. Tak jak ja wolała zazwyczaj towarzystwo dorosłych i to właśnie nas połączyło. Miała mnóstwo lalek, które przynosiła do mojego pokoju. Ustawiałyśmy je razem z moją Mujdą i urządzałyśmy dla nich herbatkę urodzinową. Wielokrotnie widziałam, jak dorośli częstowali gości herbatą – tradycja nakazywała, by gościa po przekroczeniu progu poczęstować filiżanką. Należało robić to wielokrotnie, podczas gdy przybyły odmawiał grzecznie.

Kiedyś Khadija mi zaproponowała, byśmy wzięły do

zabawy burkę. Nie podobał mi się ten pomysł, ale się upierała i zaciągnęła mnie do domu pewnego sąsiada. Utrzymywała, że znajdziemy tu ubiór, o jaki nam chodzi, ponieważ krewny sąsiada, który akurat wyjechał na tydzień w odwiedziny, zawsze nosi go na ulicy. Będziemy się doskonale bawić, mówiła.

Khadija przywołała dwie swoje przyjaciółki i przejęła dowodzenie.

– Zoju, włożysz burkę, a potem będziesz udawać ducha i gonić nas, robiąc przy tym mnóstwo hałasu. My będziemy uciekać, a ty będziesz próbowała nas złapać.

Nie wydawało mi się to zabawne. Choć bałam się chodzić nocą przez podwórze do toalety, nie wierzyłam w duchy. Ale Khadija i jej przyjaciółki zmusiły mnie, żebym usiadła, i nałożyły na mnie burkę. Nie miałam pojęcia, jak się ją zakłada, ale dziewczynka, która mieszkała w tym domu, wiedziała, ponieważ widywała, jak jej krewny to robi. Ubiór był ciężki i obszerny, nie mogłam w nim oddychać ani dobrze widzieć. Zakołysałam się na boki, próbując wstać.

– Goń nas! – zawołała Khadija.

Zgarnęłam jak najwięcej materiału w dłonie i zrobiłam kilka kroków. Nie widziałam nawet, gdzie są moje koleżanki. Poczułam, jak ktoś popchnął mnie z całej siły w plecy, i upadłam na twarz, a gęsta siatka przed oczami przesunęła się gdzieś na bok.

Widziałam tylko ciemność. Całkowicie oślepłam.

– Nie widzę, nie widzę! – darłam się jak opętana, póki dziewczynki nie pomogły mi wyswobodzić się z burki. – Nienawidzę tej zabawy. Nigdy więcej tego nie włożę.

Nigdy nie prosiłam rodziców o braciszka czy siostrzyczkę. Ale usłyszałam kiedyś, jak babka mówi im, że powinni postarać się o jeszcze jedno dziecko. „Nie ma nic lepszego niż duża rodzina, dzięki temu przetrwa wasze imię". Spytałam matkę, dlaczego nie chce urodzić następnego dziecka. „Nawet ty jedna to dla mnie za dużo!", odparła z uśmiechem. Nigdy nie chciała rozmawiać o tym poważnie. Chyba zdawała sobie sprawę – tak mi się teraz wydaje – że nie miałaby czasu na drugie dziecko. Ale ja byłam zadowolona, że nie chce nikogo innego. Byłam o matkę zazdrosna i nie chciałam za żadne skarby świata dzielić się nią z kimkolwiek.

*

Khadija dużo mi opowiadała o szkole, w której uczyła jej matka, i choć nie podobało mi się, że są tam przeważnie dzieci, chętnie przekonałabym się, jak wygląda. Często widywałam na ulicy dziewczęta w mundurkach; pedałowały roześmiane na rowerach, podzwaniając. Pragnęłam wtedy jechać na własnym rowerze i trzymać książki tak jak one.

Rodzice jednak kazali mi uczyć się w domu. Każdego wieczoru, kiedy ojciec wracał z pracy, odbywał się ten sam rytuał. Wołał mnie, sadzał sobie na kolanach, obejmował mocno i całował. Był bardzo czuły, a ja ściskałam go jeszcze mocniej niż matkę. Czułam, jak kłuje mnie jego zarost; rzadko się golił, tylko raz na miesiąc.

Pytał mnie nieodmiennie, co robiłam w ciągu dnia, i wyznaczał zadanie na następny. Chodziło zawsze o to samo: musiałam napisać kilka linijek w języku perskim, którym posługiwaliśmy się w rodzinie, na jakiś wybrany przez niego temat: „Wiosna", „Latawce", „Szacunek wobec starszych". Następnego wieczoru czytał to, co napisałam, i poprawiał mi błędy.

Była to jedyna rzecz, o jakiej chciał ze mną w ogóle rozmawiać, i w końcu odechciało mi się go widywać. Doszło do tego, że zaczęłam nienawidzić jego powrotów do domu i nie znosiłam, kiedy mnie prosił, bym przyniosła mu herbatę, co oznaczało, że będziemy omawiać zadaną pracę domową. Gdybym jej nie odrobiła, schowałabym się gdzieś z nadzieją, że zapomni. Albo pobiegła do matki i poprosiła, by pomogła mi coś szybko napisać.

Orientował się jednak od razu, że napisałam coś na kolanie. „To nie jest zbyt interesujące – mawiał. – Chciałem, byś myślała intensywnie, czytała z uwagą, a nie pisała, co ci tylko przyjdzie do głowy".

Wciąż pojawiały się te same tematy i w końcu miałam ograniczone możliwości rozważań o „Piasku" czy „Wentylatorze". Każdego dnia miałam nadzieję, że wróci później niż zwykle i że będę już spała. Po latach żałowałam, że w ogóle coś takiego przychodziło mi do głowy.

Pojęcie o szkole dawała mi Sima, nauczycielka, która przychodziła do naszego domu, a którą babka opłacała z pieniędzy po mężu. Przez jakiś czas zjawiała się trzy razy w tygodniu. Siadywałyśmy na podłodze, Sima wyciągała książkę i robótkę i przez dwie albo trzy spędzone ze mną godziny ani na moment nie przestawała dziergać, postukując i migając drutami.

Lekcje te ograniczały się na dobrą sprawę do czytania i pisania po persku oraz arytmetyki. Wydawało się, że Sima nie dba specjalnie o to, czy nauczyłam się czegoś, czy też nie. Dawała mi książkę po persku i kazała przepisywać dziesięć stron. Było bez znaczenia, że nie rozumiałam sensu przepisywanych słów. Gdy tylko dostrzegała u mnie pierwsze oznaki znudzenia, zaczynała ze mną gawędzić i żartować. Choć byłam tylko dzieckiem, wiedziałam doskonale, że ta nauka nic mi nie daje. Wkrótce jej wizyty stały się nieregularne, a potem w ogóle przestała przychodzić. Nie tęskniłam za nią. Rodzice próbowali jeszcze z kilkoma nauczycielkami, ale kiedy skończyłam dziewięć lat, nikt już więcej do mnie nie przychodził.

Dopiero później się dowiedziałam, dlaczego rodzice nie chcieli posłać mnie do szkoły. Obawiali się, że mudżahedini mogą podłożyć w niej bombę albo w innych budynkach, które bym codziennie mijała, nie podobała im się też sama edukacja – wszystkiego uczono zgodnie z zaleceniami reżimu, a wiele podręczników stanowiło tłumaczenia rosyjskich książek. Rodzice uważali, że dzieci dowiadują się więcej o Związku Radzieckim niż o Afganistanie.

Babka nalegała, bym w domu uczyła się jak najwięcej. Była tak nieprzejednana w tej sprawie, że kłóciła się często z sąsiadką, która nas czasem odwiedzała. „Nie mówię, że ma się zajmować wyłącznie domem – dowodziła kobieta. – Ale dziewczynka powinna coś wiedzieć o gotowaniu i sprzątaniu. Jak inaczej mogłaby żyć z mężem?". „Nieprawda – odpowiadała babka. – Powinna wykonywać pracę, jaką wykonują chłopcy. Gotowanie i sprzątanie nic jej nie da, to żadna przyszłość. Nauka i wiedza, oto, czego jej trzeba. Zoju, zmykaj z kuchni i zabierz się do czytania".

Nigdy się nie nauczyłam gotować.

*

Pomagałam matce w jej pracy już od ponad roku – jeśli tylko mi na to pozwalała – gdy pewnego popołudnia, kiedy już spożyliśmy obiad złożony z fasoli i ryżu, a ja wytarłam do czysta i schowałam destarkhan, plastikowy obrus, który kładło się na dywanie, ojciec zebrał nas wokół siebie i powiedział, że mamy czegoś posłuchać. Potem włożył do magnetofonu kasetę i powiedział, że nagrał ją jego przyjaciel, kiedy udał się do największego więzienia w Kabulu, gdzie wywieszono jakiś oficjalny komunikat. O ile mogłam się zorientować, była to lista nazwisk – tak długa, że nie byłam w stanie ich zliczyć. Gdy jednak ujrzałam, jak ojciec, matka i babka zastygają w bezruchu na poduszkach, uświadomiłam sobie, że dzieje się coś strasznego. Lista ciągnęła się bez końca. Dziesiątki nazwisk.

Krzyk ojca przerwał nagle monotonię nagrania. Pomstował na Rosjan, na reżim. „Watan frosz!" (sprzedawczyki), wołał, używał też innych słów, których nigdy w jego ustach nie słyszałam. Zaczęłam się dopytywać, o co chodzi, ale kazano mi siedzieć cicho.

Taśma się skończyła, lecz dorośli siedzieli w milczeniu. W końcu babka wstała i oświadczyła, że idzie spać. Ojciec i matka siedzieli dalej, nie odzywając się i nie zwracając na mnie uwagi, więc poszłam za babką.

Zastałam ją pogrążoną w głośnej modlitwie, powtarzała w kółko: „Niechaj Allah pobłogosławi męczenników, którzy chcą oswobodzić nasz kraj". Wyjaśniła mi, że rodzice znali kilka osób z tej listy, że to politycy, pisarze i poeci, a także profesorowie z uniwersytetu, gdzie ojciec i matka kiedyś studiowali, odważni ludzie, którzy przeciwstawili się agresorom.

– Posłuchaj, córko. Wszyscy ci ludzie pragnęli wyrzucić

Rosjan z naszego kraju. A Rosjanie torturowali ich, a potem zabili – powiedziała. Był to pierwszy raz, kiedy babka powiedziała mi prawdę o życiu pod radziecką okupacją. Tej nocy zasypiałam ze słowami jej modlitwy w uszach.

Z domu zniknęło wszelkie poczucie szczęścia. Nazajutrz ojciec wyszedł wcześnie, a matka zachowywała milczenie. Większość dnia spędziłam z babką, której się przyglądałam, gdy wyciągała z zardzewiałych stalowych kufrów pod ścianą swoje rzeczy, a potem chowała je z powrotem.

– Pomyśl o matkach i żonach tych biednych ludzi – powiedziała. – Teraz pozostały im tylko groby.

Zaczęłam się w duchu zastanawiać, jakbym się czuła, gdyby na takiej liście pojawiły się nazwiska moich rodziców, a ja siedziałabym w domu i czekała na ich powrót.

Uświadomiłam sobie wtedy, że ludzi zabija się za ich przekonania. W naszym domu zagościł po raz pierwszy strach. Rodzice obawiali się, że Rosjanie najmują szpiegów spośród mieszkańców Kabulu i że nawet nasi sąsiedzi mogą być zdrajcami. Matka powtarzała mi w kółko, bym nikomu nie mówiła o naszej pracy.

Od tej pory jeszcze częściej wychodziła z domu. Ojciec był smutny jak nigdy. Kiedy pytałam, czy mogę wyjść i przynieść coś ze sklepu, kazano mi zostawać w domu. „Nie wychodź sama. Na zewnątrz jest niebezpiecznie” – te słowa wryły mi się w głowie.

*

Kilka tygodni po tym, jak ojciec przyniósł do domu taśmę, po wielu dniach moich próśb, pozwolono mi na popołudniową wizytę u ciotki Nasimy, która też mieszkała w Kabulu. Przyszła po mnie do domu, a potem namówiła, bym została u niej na noc, choć nie mogłam uprzedzić rodziców, że będę siedziała u niej dłużej, niż było to ustalone. Wiedziałam doskonale, że czekają mnie kłopoty – pamiętam od najwcześniejszego dzieciństwa, jak ojciec powtarzał: „Nieważne, gdzie spędzasz dzień, na noc masz zawsze być w domu". Ciotka Nasima zapewniła mnie jednak, że pomówi z ojcem.

Nazajutrz ciotka towarzyszyła mi w drodze do domu, tak jak obiecała. Ojciec pocałował mnie w jej obecności, ale widziałam, że jest rozgniewany. Spytał ciotkę Nasimę, gdzie byłam, a gdy tylko wyszła, wezwał mnie do swego pokoju i spytał cichym głosem, dlaczego okazałam mu nieposłuszeństwo.

– Ciotka Nasima powiedziała, że nic się nie stanie, że wyjaśni... – zająknęłam się. Czułam się bardzo mała i patrzyłam na swoje stopy, nie mając odwagi spojrzeć mu w oczy.

– Nie zdajesz sobie sprawy, że żyjesz w okupowanym kraju? A teraz posłuchaj. Nigdy przedtem cię nie uderzyłem, ale teraz zrobiłaś coś, czego ci zakazałem. Jak mam cię ukarać? – spytał.

Nie odezwałam się. Nigdy jeszcze nie widziałam go tak rozgniewanego. Przyszło mi do głowy, żeby uciec do babki. Może zdołałabym schować się za nią jak za tarczą. Z pewnością byłabym poza zasięgiem ojcowskich rąk.

– Jak mam cię ukarać? – powtórzył.

Miałam wrażenie, że jego dłoń wypaliła mi dziurę w policzku. Stałam jednak nieruchomo, nawet gdy uderzył mnie w drugi policzek.

Kiedy pobiegłam zapłakana do matki, porzuciła

kuchenne zajęcia, przytuliła mnie mocno, a potem poszła do ojca. Usłyszałam, jak się spierają. Matka powiedziała ojcu, że jestem tylko dzieckiem, że zrozumiałam swój błąd i że nie musiał mnie bić.

Babka jednak oświadczyła, że ojciec miał słuszność. Powiedziała, że mogła mnie trafić bomba na ulicy i nikt by się nawet o tym nie dowiedział.

CZĘŚĆ DRUGA

Krwawiąca rana

ROZDZIAŁ IV

W końcu odkryłam tajemnicę matki; było to wkrótce po moich ósmych urodzinach. Zauważyłam w ciągu kilku minionych tygodni, że jest coraz bardziej wyczerpana, coraz bledsza, aż pewnego wieczoru zemdlała, gdy tylko weszła do domu. Wyciągnęła nagle rękę, by przytrzymać się ściany, a potem osunęła się z wolna na dywan.

Popędziłam do kuchni po sok cytrynowy, a potem zagotowałam trochę wody, by zaparzyć słodkiej czarnej herbaty. Wreszcie usiadłam przy niej cichutko, gdy powoli dochodziła do siebie, i zaczęłam masować jej stopy.

Kiedy tego samego wieczoru położyła się do łóżka, przyszłam do niej i położyłam się obok. Pocałowała mnie, przesunęła dłonią po moich włosach – tylko matce pozwalałam je obcinać – a potem zaczęła wcierać w nie oliwę. Jej złota obrączka muskała mi delikatnie skórę na głowie. Obróciłam się do niej i zadałam pytanie, które zadawałam jej już tyle razy przedtem:

– Mamo, gdzie dzisiaj byłaś? Dlaczego nigdy nie zostajesz ze mną w domu?

Tym razem nie zamierzała unikać odpowiedzi. Patrzyła na mnie z powagą dużymi czarnymi oczami. Przypominała mi teraz jedną z naszych sąsiadek, która przychodziła do nas często zapłakana, ponieważ bił ją mąż.

– No cóż, powinnaś wiedzieć, że tu, w Kabulu, mieszkają kobiety, które są bite i źle traktowane nie tylko przez swych mężów, ale i przez żołnierzy. Spotykam się z nimi, widzę ich ból i wierzę, że powinniśmy im pomóc. Jest też wiele kobiet, które rozpaczają, ponieważ ich mężowie zginęli albo siedzą w więzieniu. Nie dlatego, by zrobili coś złego, ale dlatego, że chcą wyzwolić swój kraj.

– Jak więc możesz im pomóc? – spytałam.

Matka przestała głaskać moje włosy. Dotknęłam jej dłoni, by robiła to dalej. Często musiałam jej o tym przypominać, zwłaszcza gdy rozmawiała z ojcem albo babką, bo wtedy zapominała o masażu.

– To bardzo trudne – odparła. – Nie potrafimy dokonywać cudów. Jest nas tylko kilkanście, wszystkie należymy do pewnej organizacji, która stara się pomóc kobietom i zaprowadzić pokój w naszym kraju. Próbujemy wyjaśnić w gazetach, które drukujemy i rozprowadzamy, że ludzie w Afganistanie mają prawo decydować o swej przyszłości i że musimy bez stosowania przemocy walczyć z Rosjanami, którzy chcą z nas zrobić niewolników.

Byłam zaintrygowana. Przy tych rzadkich okazjach, gdy rodzice zabierali mnie do kina, widziałam na filmach, jak policjanci walczą za pomocą broni ze złymi ludźmi i często wygrywają. Wydawało mi się, że łatwo jest rozwiązywać problemy, gdy ma się broń, i że wystarczy ją mieć w realnym świecie, tak jak na filmie, by zostać bohaterką.

Gdy matka zaplatała mi warkoczyki, wiążąc je kolorowymi wstążkami, po raz pierwszy usłyszałam nazwę

RAWA – The Revolutionary Association of the Women of Afganistan (Rewolucyjne Stowarzyszenie Kobiet Afganistanu).

– RAWA została stworzona kilka lat przed twoimi narodzinami przez grupę profesorów, studentów i intelektualistów. Studiowałam na uniwersytecie, ale przerwałam naukę, bo ta praca była o wiele ważniejsza. Pamiętasz te papiery, które nosiłaś w swoim plecaczku? Wydrukowała je RAWA. To były tajne gazetki, które oskarżały Rosjan i mówiły o tym, że ludzie powinni stawiać im opór.

– Czy coś może ci grozić, mamo? Boję się o ciebie – powiedziałam.

Pogłaskała mnie po głowie.

– Nie bój się, to nic niebezpiecznego. Nie jestem sama, są też inne kobiety, które robią jeszcze więcej ode mnie. Jak mogę siedzieć w domu z założonymi rękami? Jeśli nie pomożemy kobietom, które cierpią, nikt tego nie zrobi.

Potem zaczęła mi opowiadać historie o ludziach, którzy walczyli z faszyzmem, rasizmem i innym złem w wielu krajach. Opowiedziała mi też o Malalai, afgańskiej dziewczynie, która walczyła z brytyjską armią, przysłaną tutaj, by podbić mój kraj. Podczas zaciętej bitwy w miejscu zwanym Maiwand, w lipcu 1880, żołnierz niosący flagę Afganistanu został śmiertelnie trafiony i upadł na ziemię. Malalai chwyciła flagę i wygłosiła wiersz:

Kroplą krwi ukochanego (przelaną w obronie ojczyzny)
Uczynię sobie piękne znamię na twarzy,
Które zawstydzi nawet różę w ogrodzie.
Jeśli powrócisz żywy z pola bitewnego Maiwand,
Przysięgam, mój ukochany, że resztę swych dni
spędzisz w hańbie.

Jeszcze dzisiaj jej słowa dodają odwagi afgańskim bojownikom.

Matka powiedziała mi, że ojciec też był zaangażowany w walkę z Rosjanami i muzułmańskimi fundamentalistami. Nie należał do RAW-y – tylko kobiety mogły być jej członkami – lecz do innej tajnej organizacji. Nigdy się nie dowiedziałam do jakiej. Ojciec nie chciał mi powiedzieć. Z natury był małomówny, a gdy pytałam, jak spędził dzień, jeszcze bardziej się zamykał w milczeniu. „Widziałem się z przyjacielem" – to wszystko, co zwykle mówił. Ojciec nigdy nie dzielił się ze mną swymi myślami.

Było już bardzo późno, kiedy matka odesłała mnie do łóżka.

– Rano poproś babkę, żeby ci opowiedziała o swoim małżeństwie – dodała, zanim zasnęłam.

*

Lecz nazajutrz matka miała wobec mnie inne plany. Musiałam wstrzymać się z pytaniami o małżeństwo babki, ponieważ matka chciała, bym jej towarzyszyła do hammamu, czyli łaźni parowej. Tak rzadko pozwalano mi wychodzić z domu, że z niecierpliwością czekałam na tę wyprawę, choć nie lubiłam za bardzo, kiedy matka szorowała mi skórę aż do bólu. Kiedy byłam mniejsza, chodziłyśmy zwykle do hammamu raz albo dwa w miesiącu, ponieważ w domu nie było warunków, by umyć się należycie, gdy robiło się chłodno. Nie mieliśmy ogrzewania. Ale od jakiegoś czasu chodziłyśmy tam jeszcze rzadziej.

Matka spakowała mój plecak i wyszłyśmy z domu. W hammamie znajdowało się duże ogólne pomieszczenie, gdzie kobiety mogły rozmawiać, myć się nawzajem albo po prostu siedzieć bez ruchu, ale nie podobało mi się tam za bardzo, ponieważ wstydziłam się pokazywać obcym nago.

Matka zapłaciła za osobną kabinę, bo było w niej jeszcze goręcej niż we wspólnej sali. Kiedy się rozebrałyśmy, matka wsadziła nasze rzeczy do plastikowych worków, żeby nie zwilgotniały, a potem posadziła mnie na małym taborecie. Polewała mnie wodą i szorowała ostrą myjką tak mocno, że krzyczałam, by przestała. „Jestem taka czerwona, że nie mogę już wytrzymać!", darłam się wniebogłosy. Matka pokazała mi czarną masę brudu, którą ścierała z mojej skóry, mówiąc, że pozostało jej jeszcze mnóstwo.

Za drzwiami był korytarz i gdy siedziałam w kłębach pary, matka czasem wychodziła owinięta w ręcznik i rozmawiała z jakimiś kobietami.

Byłam tak wyczerpana po wizycie w hammamie, że kiedy wróciłyśmy do domu, nie zwróciłam uwagi na słowa babki, która powiedziała matce:

– Musisz uważać. Robi się coraz niebezpieczniej.

Zasnęłam od razu i spałam przez trzy godziny. Nie mogłam zrozumieć, dlaczego kobiety tak bardzo lubią chodzić do hammamu.

Znacznie później się dowiedziałam, że matka spotykała się tam z przyjaciółkami z RAW-y i przekazywała im dokumenty – nawet przede mną to ukrywała. Hammam był jednym z nielicznych powszechnie uczęszczanych miejsc, gdzie kobiety mogły spotykać się potajemnie. Nikomu nie przyszłoby do głowy zaglądać do dziecięcego plecaczka w łaźni.

*

Dopiero po południu udało mi się porozmawiać z babką. Przyrządzając dla mnie chałwę z mąki i cukru – słodki zapach wypełnił dom, a ja z wielką przyjemnością pomagałam jej ustawić wielki czajnik na smakowitej masie, by się odpowiednio ułożyła – opowiedziała mi historię swego zaaranżowanego przez rodziców małżeństwa i cierpienia, które jej ono przyniosło. Mówiła o zmarłym mężu „twój dziadek", nigdy „mój mąż". Nie znałam go, zmarł, zanim się urodziłam.

– Pewnego dnia mój ojciec, a był mułłą w meczecie w Kabulu, przyszedł do mnie i powiedział: „Musisz poślubić tego mężczyznę". Miałam tylko trzynaście lat i nigdy wcześniej go nie widziałam. Ojciec nie zdradził, gdzie znalazł twojego dziadka, być może spotkał go w meczecie. Wybrał go chyba dlatego, że miał więcej pieniędzy niż inni. Nie był jednak bogaty. Nic mi o nim nie powiedziano, a pierwszy raz go ujrzałam dopiero w dniu ślubu.

Nawet podczas przyjęcia zaręczynowego babce nie wolno było go zobaczyć. Rodzina męża przyniosła do jej domu prezenty i ciasta. Lecz mężczyźni i kobiety nie stykali się ze sobą, cały czas przebywali w osobnych pomieszczeniach. Wedle obyczaju mężczyźni jedli pierwsi, a kiedy skończyli, kobiety musiały posprzątać wszystko i pozmywać naczynia. Dopiero wówczas wolno im było zjeść resztki, jakie pozostawili po sobie mężczyźni.

Dwa miesiące później babka zobaczyła go po raz pierwszy i przekonała się, że jest od niej dwanaście lat starszy. W czasie nocy poślubnej okazał jej czułość, był przystojny i wyglądał na dobrego człowieka. Przez następne cztery lata rodziła trzykrotnie.

Okazał się tradycjonalistą, ortodoksyjnym i egoistycznym i traktował ją bardzo źle. Babka powiedziała, że domagał się dobrego, drogiego jedzenia. Codziennie rano chciał dostawać na śniadanie gotowane jajko z mlekiem. Nie przyszło mu jednak nigdy do głowy, że tylko on tak dobrze jada i że babka musi się zadowolić kawałkiem chleba i herbatą. O dzieci też się nie troszczył, nie obchodziło go, że potrzebują białka i witamin, by się prawidłowo odżywiać.

Kiedy babka powiedziała mi, że ją bił, spytałam dlaczego. Myślałam, że zrobiła coś złego i że została po prostu ukarana, tak jak dziecko, które dostaje lanie za popełnienie jakiegoś błędu.

Babka potrząsnęła głową.

– Nie o to chodziło. Twój dziadek był człowiekiem bez serca. Zjawiał się w domu z tuzinem przyjaciół i kazał mi od razu szykować posiłek. I to duży, składający się ze smakowitych potraw. Raz mu powiedziałam: „Jestem zbyt zmęczona. Mam ci usługiwać, ale nawet służący są ludźmi. Nie mam dość sił, by zrobić to, o co prosisz. Nie mamy poza tym dość talerzy dla wszystkich". Powiedziałam to w obecności jego przyjaciół, a on poszedł po swoje buty, duże buty, w których chodził po śniegu, a potem zbił mnie nimi. Pierwszy raz na oczach swych przyjaciół.

– I nic nie zrobili? – spytałam.

– Nie, nic. Dla nich było to normalne. Oni też bili swoje żony i nikt nie miał prawa ich bronić. Bili je nawet wtedy, gdy były w ciąży. Kiedy już skończył okładać mnie butami, kazał mi pożyczyć talerze od sąsiadów, a potem zrobić obiad. A po południu, kiedy jego przyjaciele już poszli, zbił mnie ponownie, krzycząc cały czas: „Jak śmiesz przychodzić do mnie i w obecności moich przyjaciół prosić o talerze?". Tej nocy, kiedy się rozebrałam, całe ciało miałam w sińcach.

– Nie poprosiłaś o pomoc mułły, swego ojca?

– Odwiedziłam go kilkakrotnie, ale za każdym razem mówił mi, bym znosiła wszystko cierpliwie.

– To twoja wina, jeśli z nim zostałaś. Mogłaś uciec, nigdy tego jednak nie zrobiłaś.

– To nie było takie łatwe, jak ci się wydaje. Gdybym uciekła, okryłabym się złą sławą. Mąż jest obrońcą swej żony i gdybym się z nim rozwiodła, straciłabym jakąkolwiek opiekę. Poza tym wciąż go kochałam i szanowałam, chociaż mnie bił.

– Ale musisz się cieszyć, że nie żyje – upierałam się.

– Nie mów takich rzeczy, córko. Jestem z tego powodu bardzo nieszczęśliwa. Lecz został wezwany do Allaha i jestem pewna, że poszedł do nieba.

Choć wymieniała często imię Allaha, nigdy nie próbowała zaszczepić mi takiej pobożności, jaką sama się odznaczała. Przekonywała mnie tylko, że Allah pomoże mi rozwiązać wszelkie życiowe problemy. Pościła przed ramadanem, ale utrzymywała, że to nie obowiązuje dzieci. Modliła się pięć razy dziennie, ale dowodziła, że to nie modlitwa czyni dobrego muzułmanina. Powinnam tylko być dobra i miła dla innych ludzi, co już samo w sobie jest dość trudne. „A wspomaganie biednych liczy się bardziej niż nawet bezustanne modlitwy. Tak czy owak, Allah będzie wiedział, czy jesteś dobrą muzułmanką", mawiała.

Kiedy się modliła, wymagała tylko, bym zachowała ostrożność i nie przechodziła obok niej, jeśli na dywaniku nic akurat nie leżało. Byłoby grzechem, gdyby między nami nie znalazła się poduszka czy cokolwiek innego.

Lecz ilekroć rozmawiałyśmy o jej mężu, namawiała mnie, bym czerpała przestrogę z jej doświadczenia. Czasem słyszałam, jak starsze kobiety tłumaczyły mężów, którzy bili swe żony: „To ich prawo i musimy je zaakceptować" albo „To nasze przeznaczenie, powinnyśmy pochylić w pokorze głowy".

Babka nie miała cierpliwości do takich teorii. „W przypadku kobiet mojego pokolenia sprawy wyglądały inaczej. Tobie jednak nie wolno akceptować tego, przez co przeszłam, to było nieludzkie. Przyznaję, popełniłam błąd, godząc się na to. Musisz zdobyć wykształcenie i bez wstydu wyrażać swoje opinie w obecności mężczyzn. Nie pozwól, by mieli nad tobą władzę. Mężczyzna, którego wybierzesz sobie na męża, musi być wykształcony i wolny od ignorancji. Powinien cię szanować jako kobietę".

*

Od tego czasu miałam tylko jedno pragnienie – zrozumieć książki, które czytała matka, i studiować, by móc iść w jej ślady. Wcześniej rozmowy rodziców o polityce po prostu mnie nudziły. Teraz chciałam, by wszystko mi tłumaczono. A rodzice mówili mi, że KGB i KHAD, afgańska tajna służba, aresztują i torturują tysiące ludzi.

Matka i ojciec wyśmiewali reżim narzucony Afgańczykom przez Rosjan. „Kiedy pada w Związku Radzieckim – głosiło popularne powiedzonko – rząd w Kabulu otwiera parasole". Powtarzali też, że nawet ja mogę w przyszłości uczynić coś dla Afganistanu. Nie poświęcaliśmy zbyt dużo myśli dalekiemu kuzynowi, któremu udało się wyemigrować do Kanady, by podjąć tam studia.

Tego roku, 1984, nowy przywódca radziecki Michaił Gorbaczow nazwał Afganistan „krwawiącą raną" i postanowił, że należy rozpocząć wycofywanie wojsk. Nie stać go było na ponoszenie ekonomicznych i ludzkich kosztów wojny, którą prowadził jego kraj w celu utrzymania wpływów u strategicznie ważnego sąsiada. Rodzice nie wierzyli w szybkie wyjście wojsk radzieckich i mówili mi, że po ich wycofaniu najważniejsza będzie walka o przyszłość Afganistanu. Rosjanie liczyli na swych ludzi – Gorbaczow w trzy miesiące po swym przemówieniu o krwawiącej ranie wprowadził na fotel prezydencki Mohammeda Nadżibullaha – którzy mieli pozostać u władzy po ich wyjściu.

Z coraz większą dumą nosiłam dokumenty w plecaku i mocniej ściskałam dłoń matki. Z czasem zaczęłam robić to samo dla jej przyjaciółek, ponieważ patrole radzieckie nie zwracały uwagi na dzieci. A nawet gdyby żołnierze przeszukali mi plecak i znaleźli papiery, nic mi nie groziło. Bałam się nawet pomyśleć, co mogłoby spotkać matkę.

Nauczyłam się kłamać, kiedy dzieci z naszej ulicy pytały, gdzie jest matka. Było to drobne kłamstwo. Mówiłam, że ma pracę do wykonania i że nie wiem, na czym ona polega. Mogłam być szczera tylko wobec dzieci przyjaciółek mamy z RAW-y, które czasem nas odwiedzały. Też narzekały, że ich matek nigdy nie ma w domu.

Nie dopytywałam się już, dlaczego matka nie spędza ze mną więcej czasu. Wiedziałam, że jej nieobecność nie oznacza wcale, że mnie nie kocha, i nie byłam już zazdrosna o jej pracę. Uświadomiłam sobie, że gdyby musiała wybierać między mną a swoją pracą, wybrałaby to drugie. Nie miałam co do tego żadnych wątpliwości i byłam dumna, że matka dokonałaby takiego wyboru.

Gdy spoglądam z perspektywy lat na te dni, kiedy matka opowiadała mi o swej pracy, to wydają mi się końcem mojego dzieciństwa. Nie odczuwam z tego powodu smutku. Nie lubiłam być dzieckiem. Dzieciństwo było pozbawione sensu. Chciałam jak najszybciej dorosnąć, by móc dokonać czegoś pożytecznego. Myślę, że matka pragnęła, bym miała jakiś cel w życiu, i być może uważała, że zrozumiem, co robi, skoro narażała swe życie.

Nigdy się jednak przede mną nie przyznała, że jej praca niesie ze sobą niebezpieczeństwo.

ROZDZIAŁ V

W lutym 1989 roku, kiedy miałam jedenaście lat, Rosjanie opuścili ostatecznie Afganistan. Był to koniec dziewięcioletniej okupacji, który nastąpił w trzy lata po wypowiedzi Gorbaczowa o „krwawiącej ranie". Jedno z największych imperiów świata zostało upokorzone, pomimo zaangażowania w ciągu tych lat łącznie ponad 600 000 żołnierzy. Afganistan stracił przeszło milion istnień ludzkich, a ponad sześć milionów ludzi spotkał los uchodźców – była to największa armia uchodźców na świecie. Wiedzieliśmy, że rana będzie nadal krwawić, ponieważ Rosjanie pozostawili po sobie miny ukryte w naszej ziemi.

Nie był to czas radości, nie zaznaliśmy też pokoju po wyjściu Rosjan. Wiedziałam, że nie pójdę szybko do szkoły. Przywódcy afgańskich fundamentalistów walczyli z reżimem Nadżibullaha, zasypując Dżalalabad gradem śmiercionośnych pocisków. Kilka miesięcy później zwrócili się przeciwko Kabulowi i zaczęli go ostrzeliwać jeszcze intensywniej niż wówczas, gdy był w rękach Rosjan. Babka oświadczyła, że przy takim tempie bombardowań niewiele z naszego miasta pozostanie dla zwycięzców.

W pierwszych miesiącach 1991 roku ostrzał stał się jeszcze intensywniejszy. Pewnego ranka ujrzałam, jak babka wynosi z piwnicy pudła z ubraniami, połamane latawce i mnóstwo innych rzeczy. Nie przejęłam się tym zbytnio, ale przy następnym bombardowaniu kazano mi zejść do piwnicy, z której mogliśmy wyjść dopiero po kilku godzinach. Coraz częściej musiałam spędzać dni w tych dwóch wilgotnych pomieszczeniach.

Wejście do piwnicy znajdowało się w ogrodzie. Była to zwykła dziura w ziemi, a stopnie prowadziły wprost do piwnicy. Jak dowodziła babka, bomba mogła w każdej chwili trafić w ten otwór, a drewniana klapa, która ją zakrywała, nie stanowiła żadnej ochrony.

Babka usunęła stamtąd ubrania, talerze i półmiski, a także wszelkie bezużyteczne rzeczy, nieruszane od lat. Schron, jak przywykło się nazywać piwnicę, staraliśmy się urządzić w miarę wygodnie, wykładając go dywanami, poduszkami i materacami do spania. Był jednak wilgotny, zimny – nie zainstalowano w nim nigdy pieca – i bardzo ciemny. Choć pomalowaliśmy ściany, wkrótce pokryły się plamami wilgoci i nawet materace zaczęły wydzielać woń stęchlizny.

Było to okropne. Nabawiłam się kaszlu. Nie mogłam zrozumieć, dlaczego nie wolno mi wyjść z piwnicy i położyć się w moim wygodnym łóżku, które czekało na górze. Babka też narzekała. Miała kłopoty z chodzeniem tam i z powrotem po schodach, ciągle narzekała, a jej astma i reumatyzm pogłębiały się z każdym dniem. Im dłużej musiała siedzieć w piwnicy, tym bardziej zrzędziła i kłóciła się z matką.

W lecie upał w piwnicy robił się nie do wytrzymania. Dawniej, kiedy w domu było za gorąco, wynosiliśmy łóżka do ogrodu i spaliśmy pod wielką siatką chroniącą nas przed komarami. Teraz jednak byliśmy zmuszeni pozostać pod ziemią, a świeże powietrze z zewnątrz płynęło tylko przez szpary w drewnianej klapie, którą ojciec zakrywał wejście do piwnicy.

Nienawidziłam dziewięciu stopni prowadzących do schronu. Nie mogłam wychodzić, nie widziałam słońca, nie miałam pojęcia, czy jest dzień, czy noc. Mieliśmy dwie żarówki, ale często nie było prądu i musieliśmy wtedy siedzieć przy świeczce. Zdarzało się, że byliśmy tam uwięzieni przez kilka dni z rzędu. Widywałam niebo tylko wtedy, gdy szłam do toalety obok domu, trwało to jednak tylko krótką chwilę. Musiałam jak najszybciej biec z powrotem do dziury.

Kiedy miałam światło, próbowałam czytać albo rysować działa, żołnierzy i czołgi. Kiedy było za ciemno, prosiłam babkę, by opowiedziała mi jakąś historię. Pomagałam przygotowywać posiłki z produktów, jakie udało nam się zdobyć, często obierałam ziemniaki przy blasku świecy. Wieczorami, gdy był prąd, słuchaliśmy radia BBC po persku albo afgańskich pieśni. Nie mieliśmy telewizora.

Pewnego dnia dowiedzieliśmy się od sąsiadów, że zginęła cała rodzina, rodzice wraz z sześciorgiem dzieci. Bomba uderzyła prosto w ich schron. Stało się to podobno z dala od naszej ulicy. Po tej historii nie mogłam zrozumieć, dlaczego spędzamy tyle czasu pod ziemią. Powiedziałam do babki: „To nie ma sensu. Nieważne, gdzie siedzimy – jeśli zostało postanowione, że mamy umrzeć, to i tak umrzemy. Chodźmy więc na górę".

Myślałam, że babka przyzna mi rację, przecież tak

bardzo narzekała. Ale ona po prostu odparła, że w piwnicy jest bezpieczniej. Więc zostałyśmy.

Od czasu gdy się dowiedziałam, że w jednej chwili zginęła cała rodzina, coraz trudniej przychodziło mi zasnąć. Byłam zmęczona, ale chciałam zachować przytomność. Uczepiłam się głupiego przekonania, że jeśli spadnie na nas bomba, to zdołam uciec. Byłam pewna, że im więcej będę myśleć o ucieczce, tym mniej prawdopodobne, że bomba spadnie. I że jeśli zamknę oczy i zasnę, to gdy się obudzę, nie będzie domu, rodziców, babki, niczego. Wszystko zniknie.

*

28 kwietnia 1992 roku. Czarny dzień, którego nigdy nie zapomnę. Jadłam z babką śniadanie, kiedy w radiu ogłosili, że fundamentalistyczni mudżahedini, który wreszcie się zjednoczyli, przejęli władzę w Kabulu. Babka, daleka od żałoby po Rosjanach, powiedziała mi, że do naszego kraju zawitał nowy, o wiele gorszy diabeł. W owym czasie krążyło popularne powiedzonko: „Uwolnij nas od siedmiu osłów i przywróć nam naszą krowę", w którym osły symbolizowały siedem frakcji mudżahedinów, a krowa reżim proradziecki.

Działa na wzgórzach umilkły, ale znów byłam uwięziona. Wcześniej w schronie, a teraz w domu. Wolno mi było wyjść tylko raz na parę tygodni, do sklepu czy do mojej przyjaciółki Khadiji, nie na długo jednak i nigdy samej. Kazano mi się trzymać jak najdalej od posterunku przy głównej drodze, na końcu naszej ulicy. Żołnierze mieli dziki wzrok i długie brody. Widok podzielonego miasta – wrogie grupy kontrolowały różne jego części – napełnił mnie smutkiem. Tylko kurz na ulicach pozostał ten sam, choć było go teraz więcej. Widywało się mniej dzieci. Nie śmiały się już i nie wołały głośno jak dawniej.

Sklep, w którym Rosjanka częstowała mnie czekoladą, został zniszczony, pozostała tylko samotna poczerniała ściana. Podobnie jak kino „Barikote", do którego chodziłam jako dziecko. Bomby zrównały z ziemią całe dzielnice. Muzeum, gdzie zabierali mnie rodzice, zostało splądrowane, wszystkie co cenniejsze rzeźby skradziono.

Widziałam wzniesiony przez Rosjan uniwersytet, na którym studiowali kiedyś rodzice. Był wypalony, okna powybijane, ściany upstrzone dziurami po pociskach. Mudżahedini spalili nawet książki z biblioteki i splądrowali nowoczesne laboratoria. Powiedzieli, że książki dostarczyli Rosjanie, symbolizują więc komunizm i muszą być spalone. Alkohol też był złem i mudżahedini rozjechali czołgiem tysiące butelek, by zrobić odpowiednie wrażenie i przestraszyć ludzi.

Widziałam teraz więcej burek niż przedtem; przypominały zwłoki dryfujące po ulicach. Wiele kobiet zakrywało się wielkimi szalami. Te młode i piękne nie malowały się już ani nie wkładały spódnic, tylko starały się wyglądać staro i nosiły rzeczy wyłącznie w smutnych kolorach. Nawet ja chciałam ubierać się inaczej, więc babka uszyła mi spódnice dłuższe, niż nosiłam dotychczas. Powiedziała, że kobiety, które nie zakrywają się jak należy, są bite przez fundamentalistów.

Kobiety zaczęły też znikać z programów radiowych i telewizyjnych. Zrozumiałam, na jakie niebezpieczeństwo naraża się teraz RAWA.

Zwykle dostawałam kilka prezentów na urodziny, a teraz otrzymałam tylko mały czerwony nóż, scyzoryk z chowanym ostrzem. Dała mi go babka, był zawinięty w papier. Potem mnie pocałowała, mówiąc: „Przepraszam, córko, nie mam dla ciebie nic innego". Nóż należał do niej, miała go od niepamiętnych czasów. Spytałam ją, kiedy będę mogła pójść do szkoły, ale nie potrafiła mi odpowiedzieć. Była zbyt słaba i chora, by wychodzić.

Nie widywałam już idących do szkoły dziewcząt w mundurkach. Ktoś opowiedział babce o podręcznikach matematyki dla chłopców, które zawierały przerażające zadania – jedno z nich brzmiało: „Jeśli jest dziesięciu Żydów i zabijesz pięciu, to ilu pozostanie?". Inne brzmiało: „Jeśli masz dziesięć pocisków i ktoś da ci jeszcze pięć, to ile będziesz miał razem?".

Rankiem widywałam obok naszego domu grupki chłopców spieszących do medresy, szkoły religijnej, gdzie, jak powiedziała mi babka, siedzieli ze skrzyżowanymi nogami nad Koranem i czytali z niego głośno całymi godzinami, kołysząc się w przód i w tył jak drzewa na wietrze. Chłopcy musieli uczyć się dużych partii Koranu na pamięć, studiować życie i nauki proroka Mahometa, a także szarijat, prawo islamskie.

Pewna kobieta, znajoma babki, posłała syna do jednej z tych szkół i teraz narzekała, że niemal w ciągu jednej nocy stał się kimś obcym, że nie chce jej w ogóle słuchać ani okazywać choćby odrobiny uczucia.

Babka mówiła, że niektórzy mułłowie w tych szkołach dopuszczają się strasznych seksualnych przestępstw wobec dzieci. To grzech, twierdziła, co gorsza, popełniany w imię Koranu. Nie domyślałam się nawet, że za kilka lat słowo „talib", które oznaczało po prostu ucznia medresy, stanie się powszechnie znane na całym świecie i że za jego sprawą cofniemy się do znanej mi z książek epoki kamiennej.

Kolejne miesiące spędzałam uwięziona w domu. Rodzice byli zajęci jak zwykle i zostawiali mnie z babką. Próbowałam czytać, ale wolałam słuchać jej opowieści o okrucieństwach popełnianych przez fundamentalistycznych mudżahedinów. Ludzie ginęli od kul na ulicy bez żadnego powodu albo znikali. Dowiedziałam się o pewnym dowódcy posterunku z plemienia Hazarów, który ułożył na drodze stos z ludzkich oczu. Wyłupiono je mężczyznom z plemienia Pasztunów, mojego plemienia. Pasztunowie zaczęli robić to samo i niebawem rozpętała się krwawa rywalizacja. Przypomniała mi się prawdziwa historia opowiedziana przez babkę przed laty o pasztuńskim królu, który kazał zbudować wieżę z głów Hazarów.

Słyszałam o bojownikach z frakcji Hizb-e-Wahdat, którzy schwytali wiele kobiet, a potem zamknęli je w kinie „Barikote". Kazali im się rozebrać do naga i gwałcili każdej nocy.

Słyszałam też o pewnym dowódcy, który bił i torturował ludzi przechodzących przez jego posterunek na głównej drodze między Dżalalabadem, świętym miastem na południu Afganistanu, a Kabulem. Gwałcił też kobiety. Pewnego razu zatrzymał starego człowieka i spytał: „Ile masz pieniędzy w kieszeniach?", a stary człowiek odparł, że tysiąc rupii. „Oddaj mi te pieniądze" – nakazał dowódca. „Ale to wszystko, co mam – przekonywał błagalnie tamten. – Muszę jechać do mojej rodziny w Kabulu. Proszę, zostaw mi trochę". Dowódca wrzasnął: „Odmawiasz mi!? Powinieneś wiedzieć, z kim masz do czynienia!". Pchnął starego człowieka na ziemię, chwycił bat i zaczął go okładać bez końca, zaśmiewając się przy tym.

Dowódca ten był znany w całym Afganistanie, gdyż miał „człowieczego psa". Był to na pół dziki mężczyzna, brudny, zarośnięty i straszliwie zawszony. Mówiono, że nie myje się całymi miesiącami; dowódca trzymał go na łańcuchu. Kiedy rozkazywał: „Psie, chodź tu i ugryź", mężczyzna podchodził na czworakach i zatapiał zęby w ofierze.

Kiedy widziałam tych niepiśmiennych przestępców na ekranach telewizorów wystawionych w witrynach sklepowych albo na zdjęciach w gazetach, wyobrażałam sobie, że mają krew na dłoniach i twarzach.

Słyszałam, że przywódcy mudżahedinów wymyślili nowy sposób zabijania, który nazwali „tańcem zwłok". Żołnierze najpierw wymachiwali ostrymi nożami, jakby się popisywali, a potem obcinali ofierze głowę. Następnie wylewali na szyję wrzący olej, by zatamować krew, i rzucali ciało na ziemię, gdzie trzęsło się miotane drgawkami. Mudżahedini uważali to za bardzo zabawne i dopóty tańczyli, dopóki ofiara nie znieruchomiała.

Pewnego dnia 1992 roku kilku żołnierzy zatrzymało kobietę w ciąży, która jechała do szpitala, by urodzić. Wyciągnęli ją pod lufami karabinów z taksówki. Powiedzieli jej, że nigdy jeszcze nie widzieli płodu w łonie i że chcą zobaczyć, jak wygląda. Potem ją zgwałcili. Ciało z rozprutym brzuchem znaleziono dopiero w kilka dni po jej śmierci.

Mudżahedini lubili także oślepiać ludzi, przytykając im papierosy do oczu, i zabijać, wbijając im w głowy dziesięciocentymetrowe gwoździe.

Ci zbrodniarze chcieli po prostu zaszczepić strach wśród naszego narodu, który nie miał dokąd się zwrócić po pomoc – nie istniało prawo ani sprawiedliwość. Nowe władze usankcjonowały przemoc. Utrzymując, że pragną zaprowadzić w kraju prawo islamskie, ustanowiły kary, których nawet Rosjanie nie stosowali: obcinanie stóp i dłoni, chłostę i kamienowanie. Więźniowie polityczni poprzedniego reżimu zostali uwolnieni, a ich miejsce zajęli ci, którzy ośmielili się krytykować nowe władze. Więźniowie byli torturowani, często kończyło się to ich śmiercią. Rząd usankcjonował publiczne egzekucje skazanych morderców.

Potem znów zaczęły się bombardowania. W sierpniu 1992 roku, kiedy jedna z frakcji mudżahedinów zasypała miasto pociskami, w Kabulu zginęło prawie dwa tysiące ludzi.

Powiedziałam babce, że mudżahedini muszą chyba pochodzić z kabulskiego zoo. „Nie porównuj ich do zwierząt – odparła. – One są niewinne, bo nigdy nie robią takich rzeczy jak ci ludzie".

ROZDZIAŁ VI

Po raz ostatni widziałam ojca w słoneczny poranek, kiedy się pochylił, by pogłaskać mnie po głowie i pocałować w policzek. Jego broda, którą przystrzygł sobie kilka dni wcześniej, zakłuła mnie w twarz. Włożył płaszcz, a potem buty, które stały na podwórzu, tuż obok drzwi prowadzących na ulicę.

Najpierw mi powiedziano, że wyjechał do pracy i że może go nie być przez kilka dni. Potem, kiedy wciąż nie wracał – że może go nie być przez kilka tygodni. Ale po jakimś czasie, widząc łzy w oczach matki i babki, domyśliłam się, że to nieprawda. Przypomniałam sobie wszystkie te chwile, gdy pragnęłam, by ojciec wrócił do domu późno, ponieważ nie odrobiłam lekcji, które mi zadał. Teraz oczekiwanie się przedłużało, a ja miałam wyrzuty sumienia, że kiedyś życzyłam sobie jego nieobecności.

Matka chowała się przede mną, by płakać potajemnie, ale zawsze wiedziałam, kiedy to robiła. Przestałam sypiać z babką i zaczęłam dzielić łóżko z matką. Czułam w nocy, jak drży leciutko, gdy płakała, przekonana, że już usnęłam. Udawałam, że śpię, nie chciałam, by wiedziała, że ją słyszę. Nie czułam już zapachu jej perfum. Przestała ich używać.

Zdarzało się, że całymi dniami nie zasiadałyśmy do wspólnego posiłku. Czasem matka i babka zapominały mnie nakarmić, szłam więc do kuchni i brałam sobie coś do jedzenia. Były dla siebie serdeczne, gdyż zjednoczyła je wiedza, którą nie chciały się ze mną dzielić. Nikt nas nie odwiedzał. Chciały mnie chronić przed straszną wieścią, więc pewnie dlatego nie przychodzili do nas krewni. Pragnęłam spytać matkę albo babkę, co stało się z ojcem. Siedzi w więzieniu? Uciekł z Afganistanu? A może leży ranny w szpitalu? Nie żyje? Wydawało mi się, że zrozumiem, co się wydarzyło, ale nie byłam do końca pewna. Pojmowałam jednak, że nie powinnam o tym mówić. Szanowałam ich decyzję, by zachować milczenie.

Nikt nie wchodził do gabinetu ojca, a jego książki stały nietknięte na półkach. Wiedziałam, że już nigdy nie poczuję na ręku dłoni ojca pomagającego mi kierować latawcem.

Żyliśmy z pieniędzy babki, które odziedziczyła po mężu. Ilekroć matka była w domu, trzymałam się blisko niej i nie wchodziłam już tak często do pokoju babki, ponieważ pragnęłam mamie okazać, że nie jest sama. Matka nie miała czasu na zabawy ze mną, musiała kontynuować swą pracę. Zaczęła mnie jednak z sobą zabierać. Towarzyszyłam jej podczas kilku spotkań, ale pewnego dnia popełniłam błąd i powtórzyłam koleżance coś, co podczas tych spotkań usłyszałam. Potem matka przestała mnie zabierać.

*

Nie było mnie nawet w Kabulu, kiedy matka zniknęła w jakiś czas po ojcu. Pojechałam w odwiedziny do Shaimy, mojej przyjaciółki, która mieszkała w małym miasteczku niedaleko Dżalalabadu. Shaima i jej rodzina robili wszystko, bym się nie martwiła, nie mogłam się jednak uwolnić od myśli o matce. Leżałam nocą w łóżku i martwiłam się o nią. Wyobrażałam sobie, że jest chora, i pragnęłam jej pomóc, by znów była zdrowa. Pamiętałam też, że ojciec nigdy nie lubił, gdy zbyt długo przebywałam poza domem. Shaima wraz z rodziną prosiła mnie, bym została u nich jeszcze, ale po czterech dniach wyjechałam, chcąc jak najszybciej wrócić do Kabulu i matki.

Lecz kiedy znalazłam się w domu, od razu wydał mi się inny.

Zastałam babkę w łóżku. Wyglądała na chorą, a na głowie miała zawiązaną chustę, jak podczas ataku migreny. Popatrzyłam jej w oczy i zobaczyłam, że płakała. Były podkrążone. Nie pozwoliła mi o nic spytać, tylko skinęła, bym podeszła bliżej, i położyła mi na policzkach dłonie. Były rozpalone, miała wysoką gorączkę. Przyciągnęła mnie do siebie i ucałowała moje oczy, czubek głowy i ręce. Potem przytuliła mnie do piersi. Pochylona, usłyszałam, że znów płacze.

– Co teraz z tobą będzie, córko? – spytała.

Oderwałam się od niej przerażona.

– Co się stało? Powiedz mi, co się stało?! – krzyknęłam.

Ale ona tylko zapłakała głośniej. Po chwili rzekła:

– Twoja matka, twoja matka...

Uciekłam do swojego pokoju, chciałam być sama.

Później, tego samego dnia, spytałam babkę, gdzie jest matka. Nie odpowiedziała. W ciągu następnych dni i tygodni spytałam ją jeszcze może dwa czy trzy razy, nie spodziewając się odpowiedzi.

Zamknęłam się w swoim pokoju. Nie chciałam widzieć krewnych, którzy przychodzili do naszego domu. Nie chciałam słuchać ich wyrazów współczucia i smutku.

Kładłam się zwinięta w kłębek na łóżku, by stać się jak najmniejsza, albo chodziłam od ściany do ściany niczym robot. Myślałam o perfumach matki, które wciąż stały na jej stoliku, i o tym, że już nigdy nie poczuję ich woni na jej skórze. Ani dotyku dłoni z pierścionkiem zaręczynowym na palcu, wcierających olejek w moje włosy.

Miałam wrażenie, że wszystko straciłam. Wciąż umiałam odmalować sobie uśmiechy na twarzach rodziców i ich spojrzenia pełne czułości i miłości. Tak żałowałam, że nie spoglądałam im w oczy o wiele dłużej, widząc ich po raz ostatni. Od tamtej pory wspomnienie matki i ojca – zabaw w ciuciubabkę, wspólnych lekcji – powracają do mnie jak na filmie i zawsze wywołują wstrząs.

Zaczęłam pisać listy do przyjaciół, ale po kilku linijkach rezygnowałam i darłam papier na kawałki. Potem włączałam kasetę, żeby posłuchać muzyki, jednak po kilku zaledwie sekundach dawałam sobie spokój.

Wydawało mi się, że kochałam rodziców bardziej niż własne życie, i myślałam o samobójstwie. Słyszałam o tylu dziewczynach, które się zabiły, kiedy straciły rodziny albo kiedy je zgwałcono. Uważałam, że to najprostszy sposób, by uciec od wszystkiego – wojny, mudżahedinów, zabijania. Lecz po kilku godzinach zaczynałam odczuwać wstyd z powodu takich myśli. Byłam zbyt młoda, by wyrzekać się świata. Rodzice by tego nie pochwalali, samobójstwo świadczyło o słabości. Przeczyło wszystkiemu, czego mnie nauczali. Zabijając się, odrzuciłabym to.

Jedynymi ludźmi, których chciałam widywać, były przyjaciółki matki z RAW-y. Przychodziły, by chwilę porozmawiać i zostawiały mnie w spokoju. Nie słyszałam od nich pustych słów w rodzaju: „Przykro nam"; mówiły, że choć straciłam matkę, spróbują mi pomóc, jak uczyniłaby to ona; że powinnam sobie uświadomić, jak to dobrze, że mam wciąż babkę i krewnych rodziców, ponieważ tyle dziewcząt straciło wszystko i nikt nawet nie mógł im pomóc w pochówku matek i ojców. Nakłaniały mnie, bym pomyślała o innych, którzy cierpią, oraz przekuła swój żal w siłę. Szanowałam je za to. Zaopiekowały się babką i kupowały nam jedzenie.

Upłynęło sporo czasu, nim się dowiedziałam, że rodziców zamordowano na rozkaz mudżahedinów, tak jak tysiące innych ludzi, nie mogę jednak powiedzieć nic na ten temat, gdyż byłoby to zbyt ryzykowne. Nigdy nie zwrócono nam ich ciał, nigdy też nie odbył się żaden pogrzeb. Babka powiedziała, że fundamentaliści okradli nas nie tylko z dwóch istnień, ale i z dwóch grobów, przy których moglibyśmy opłakiwać zmarłych. Nawet dzisiaj rodzice nie mają swych mogił.

Pewnej nocy po ich zniknięciu przysięgłam sobie, że pomszczę nie tylko ich, ale i wszystkich ludzi, którzy zostali zamordowani, nie wiadomo jak, gdzie i dlaczego. Nie chciałam robić tego z kałasznikowem w ręku, tylko walcząc o sprawę tak, jak czyniła to matka.

*

– Słyszałaś? Czy może być coś gorszego?! – wykrzyknęła Khadija, wpadając do mojego domu. Miała na głowie chustę, a w jej oczach malował się strach.

Było lato 1992 roku, kilka miesięcy po przejęciu przez mudżahedinów władzy w Kabulu. Nie zdejmując nawet chusty, ruszyła od razu do mojej sypialni i zamknęła za sobą drzwi. Opowiedziała mi wszystko urywanym głosem, chodząc po pokoju, jakby nie potrafiła ustać w miejscu. Przywódca mudżahediński, eskortowany przez uzbrojonych mężczyzn, wpadł ostatniej nocy do domu pięknej osiemnastoletniej dziewczyny imieniem Nahid. Była córką sklepikarza i mieszkała w bloku w Mikrorayon, wschodniej dzielnicy Kabulu, znacznie zamożniejszej niż nasza. Być może żołnierze usłyszeli o niej od jednej ze starych żebraczek, które pełniły funkcję płatnych szpiegów. Zażądali od ojca wydania dziewczyny, by mogła poślubić jednego z nich. Ojciec odmówił. „Opuśćcie ten dom – powiedział. – Jak śmiecie wdzierać się tu w środku nocy? Niech ten żołnierz przyśle do mnie swoich rodziców. Jeśli moja córka się zgodzi, oddam mu ją".

Lecz żołnierze nie zamierzali go słuchać i próbowali schwytać Nahid. Udało jej się w pewnym momencie wybiec na balkon i rzucić z piątego piętra na ziemię.

Khadija przerwała i popatrzyła na mnie.

– Rozumiesz? Chcieli wziąć Nahid siłą, więc musiała się zabić – powiedziała bez tchu, a ja dostrzegłam, że nie użyła słowa „gwałt". – Wiesz, co to oznacza? Będziemy musiały nosić burki. Nie możemy już wychodzić na ulicę. To zbyt niebezpieczne. Nawet we własnych domach nie możemy czuć się pewnie. W każdej chwili jakiś mudżahedin może wyważyć drzwi kałasznikowem i zabrać nas ze sobą.

Tyle już słyszałam i wycierpiałam, że zdołałam tylko spytać:

– Po co mi to mówisz? Co mogę zrobić?

– A komu innemu miałabym powiedzieć? Myślisz, że mogłabym wykrzyczeć to na ulicy? – odparła ze złością. Potem uściskała mnie mocno i rzuciła na pożegnanie: – Muszę wracać do domu.

Poszłam do babki, która gotowała ryż w kuchni, i opowiedziałam jej wszystko. Do oczu napłynęły jej łzy i zaczęła się głośno modlić. Nigdy jeszcze nie widziałam, by robiła to tak żarliwie. Wreszcie skończyła i oświadczyła stanowczo:

– To znaczy, że zbliża się dzień Sądu Ostatecznego.

– Co to jest dzień Sądu Ostatecznego? – spytałam, potykając się na słowach, których nigdy wcześniej nie słyszałam.

– To dzień, w którym każdy musi stanąć przed Allahem i powiedzieć Mu o wszystkich dobrych i złych rzeczach, które w życiu zrobił. A On decyduje, czy człowiek pójdzie do nieba, czy piekła. W niebie są rzeki pełne mleka i mnóstwo drzew owocowych, można jeść, co tylko dusza zapragnie. Nie trzeba o nic prosić. Wystarczy tylko o czymś pomyśleć i od razu człowiek to ma.

– A co dzieje się w piekle?

– Płonie tam wielki ogień, a człowiek cierpi dwojaki ból: albo spala się i umiera od razu, albo spala się bardzo, bardzo długo. Czasem źli ludzie zmuszeni są siedzieć na ogromnych kolcach. I dostają bardzo mało do jedzenia i ani kropli wody. Co prawda Nahid popełniła samobójstwo, uznawane za grzech, ale ponieważ groził jej gwałt, Allah z pewnością jej wybaczy, dodała jeszcze babka.

Potem powiedziała, że aby dostać się do nieba, muszę być uczciwa i dobra, pomagać biednym i szanować starszych. Nigdy jednak nie zrozumiałam, dlaczego babka, słysząc o jakiejś nowej tragedii, nieodmiennie powtarzała, że to kara za nasze grzechy. Zaczęłam żywić przekonanie, że zrobiłam coś złego, że cała moja rodzina i sąsiedzi byli czemuś winni, nie miałam jednak pojęcia, co to może być. Pytałam wszystkich, także moją przyjaciółkę Khadiję. Nikt jednak nie potrafił mi odpowiedzieć.

W dzień po śmierci Nahid kilka przyjaciółek matki z RAW-y zaprowadziło mnie do domu dziewczyny. Ojciec położył ciało córki na łóżku. Pragnął, by przyjaciele pomogli mu nieść ją po ulicach i pokazywać wszystkim, co mudżahedini jej uczynili, ale żołnierze nie pozwolili na to. Kiedy przybyłyśmy na miejsce, wielu ludzi gromadziło się wokół jej ciała, przepuścili mnie jednak. Zobaczyłam, że jest owinięta białym prześcieradłem. Miała owalną twarz i wysokie kości policzkowe. Skóra była prawie żółta, bez śladu krwi. Ktoś podwiązał jej szczękę, by małe usta pozostały zamknięte.

Nie dotknęłam jej ani nie pocałowałam, tylko przemówiłam do niej bezgłośnie. Przyrzekłam, że doprowadzę ludzi odpowiedzialnych za jej śmierć przed oblicze sprawiedliwości i że dopilnuję, by zostali ukarani za straszny czyn, jakiego się dopuścili. Nie była to obietnica bez pokrycia – wiedziałam, że pewnego dnia ją spełnię.

Nawet Rosjanie nie robili nam takich rzeczy. Myślałam o swoim losie, gdyby mudżahedini o strasznych twarzach przyszli po mnie w nocy.

*

Przemoc, jakiej ci ludzie dopuszczali się wobec kobiet w Kabulu, i doniesienia o torturach i zabójstwach – podobno pewien człowiek, widząc, że mudżahedini przyszli do jego domu po córkę, zabił ją własnymi rękami, nim zdołali dziewczynę uprowadzić – robiły na babce wstrząsające wrażenie. Była zdruzgotana świadomością, że można w imię wiary muzułmańskiej wbić człowiekowi gwóźdź w czaszkę i że taka dziewczyna jak Nahid może popełnić samobójstwo.

Nie była to już ta sama babka, jaką znałam w dzieciństwie. Często słyszałam, jak płacze, i gdy ocierałam jej łzy chusteczką, wydawało mi się, że za każdym razem przybywa zmarszczek wokół jej oczu.

Traciła na wadze; w dzień jadła jak ptaszek, a wieczorem wypijała tylko szklankę mleka. Powiedziałam jej, że musi więcej jeść, inaczej lekarstwo, które zażywa, jej zaszkodzi.

– Nie chcę teraz niczego. Później, zjem coś później – odparła.

Próbowałam ją pocieszyć:

– Nie płacz, dlaczego płaczesz? Przez ciebie jest mi jeszcze smutniej.

Po chwili przestała płakać i powiedziała:

– Jeśli ty żyjesz, to jestem szczęśliwa. Tylko to się liczy.

Wstała, krzywiąc się z bólu w kościach, i ruszyła do kuchni. Wróciła po jakimś czasie z patelnią w dłoni, a nad małymi brązowymi ziarenkami, które uprażyła, unosił się dym. Obchodziła mnie dookoła, okadzając jego pachnącymi słodko smużkami i wypowiadając słowa modlitwy, która miała odpędzić zło:

– Błogosław ją, otocz opieką, ocal życie.

Koran, który do tej pory leżał przez większość dni na jej stoliku, teraz spoczywał otwarty na dywanie, a babka modliła się z niego od rana do nocy. Jej przekonania uległy pewnej zmianie. Owszem, dalej wierzyła w Allaha, ale dodawała, że powinnam też liczyć na siebie, jeśli chcę coś osiągnąć.

Lecz w nocy usłyszałam, jak modli się do Niego głosem pełnym żalu i goryczy: „Obrońco całego świata, jestem muzułmanką, Afganistan jest muzułmański, a teraz zjawili się ci przestępcy, by nas pozabijać. Allahu, jaki grzech popełniliśmy, że na to pozwalasz? Allahu, błagam, pomóż nam".

Do tej pory akceptowałam to, co mówiła, kiedy umierał krewny albo sąsiad: „Wszystko w ręku Allaha. Z jakiegoś powodu, którego nie znamy, wezwał tę osobę do siebie. Tak musi być". Ale teraz, gdy nawet babka wątpiła w swego Boga, nie wiedziałam już, w co wierzyć.

CZĘŚĆ TRZECIA

Nowe imię wolności

ROZDZIAŁ VII

Otrzymałam zwięzłą informację, że mam się przygotować do wyjazdu. Był rok 1992, skończyłam czternaście lat i babka w tajemnicy przede mną już od tygodni rozmawiała z członkiniami RAW-y, które odwiedzały ją w domu. Mówiły o niebezpieczeństwach grożących nam w Kabulu i o potrzebie zapewnienia mi odpowiedniego wykształcenia. Krewni, zarówno ze strony ojca, jak i matki, zaoferowali się mnie przygarnąć, ja jednak chciałam zostać z babką i uczynić to, co postanowi.

Babka pragnęła, byśmy wyjechały z Afganistanu, ponieważ bała się, zwłaszcza od śmierci Nahid, że w każdej chwili do naszego domu wpadną mudżahedini i mnie uprowadzą. Była też coraz bardziej świadoma, że ze względu na chorobę nie jest w stanie zapewnić mi właściwej opieki.

Babka nie omawiała ze mną swych planów. Posadziła mnie przed sobą na podłodze i powiedziała, co należy zrobić. Mamy wyjechać nazajutrz, oświadczyła, i przekroczywszy granice dotrzeć do pewnego miasta w Pakistanie, bym mogła zacząć naukę w szkole.

Z żalem myślała o opuszczeniu Kabulu. Tu było jej życie, podobnie jak dzieci, które widywała bardzo rzadko.

– Gdyby chodziło tylko o mnie, to wbrew temu, co się tu wydarzyło, wciąż kocham to miasto i zostałabym tutaj. Ale muszę myśleć o twoim bezpieczeństwie i przyszłości – powiedziała. RAWA oferowała jej szansę wyjazdu i babka uświadomiła sobie, że musi z niej skorzystać.

Nie spierałam się, wiedząc instynktownie, że cokolwiek postanowi, będzie słuszne.

– Do jakiej szkoły pójdę? – spytałam tylko.

– Nie wiem, ale będziesz zadowolona. Zaczniemy w Pakistanie nowe życie – odparła. – A jeśli ktoś cię jutro spyta, co zamierzasz, powiedz, że jedziesz w odwiedziny do krewnych.

Babka, tak zazwyczaj powolna, nabrała nagle niezwykłego wigoru. Zwinęła dywaniki i zapakowała wszystko w papier, by się nie pobrudziło.

Chciałam zabrać ze sobą mnóstwo bagażu – książki, zabawki, każdą rzecz z mego pokoju, którą kochałam, ale babka powiedziała, że się spieszymy i że możemy zabrać niewiele. Spakowała dla mnie dwie torby, głównie z ubraniami na lato i zimę, gdyż nie wiedziałyśmy, na jak długo wyjeżdżamy. Prócz ubrań mogłam zabrać tylko moją lalkę Mujdę i kilka zbiorków poezji. Musiałam pozostawić wielkiego kudłatego misia, którego dał mi przed laty ojciec.

Tej nocy rzucałam się i przewracałam na łóżku w pokoju babki, próbując zasnąć. Zastanawiałam się, kiedy znów położę się spać w tym domu. Jechałam do obcego mi kraju, w którym nikogo nie znałam i którego językiem nie potrafiłam się posługiwać. Było mi przykro wyjeżdżać, ale jeśli miała mi towarzyszyć babka, jedyna osoba, jaka mi pozostała, to uznałam, że sobie poradzę. I jeśli tylko nauka w szkole mogła mi umożliwić kontynuację pracy matki, to byłam gotowa do wyjazdu. Co prawda powtarzałam babce, że chcę od razu zacząć pracować, ale ona nieodmiennie odpowiadała: „Najpierw zajmij się nauką. O pracy pomyślisz później". W głowie kłębiły mi się wątpliwości i pytania; spałam tej nocy tylko trzy godziny.

Wstałyśmy o świcie wraz z wezwaniem do modlitwy, które dobiegało z meczetu. Babka zawinęła starannie Koran w kawałek materiału i schowała go do swej torby. Spakowała też na drogę trochę herbatników i wodę.

Moja przyjaciółka Khadija była jedyną osobą, z którą się pożegnałam. Nie miałam niczego, co mogłabym jej dać w prezencie, nie było też czasu, by cokolwiek zdobyć.

– Ty i twoja rodzina też powinniście wyjechać – powiedziałam. – Nikt tu nie jest bezpieczny.

– Rodzice cały czas powtarzają, że też niebawem wyjadą – odparła. – Ale nie mam pojęcia, gdzie się znajdziemy.

O dziewiątej do drzwi zapukała kobieta z RAW-y. Na głowie miała wielką chustę, widać było tylko oczy. Kiedy ją zobaczyłam, przypomniałam sobie, jak wystraszyła mnie matka, kiedy stanęła na progu w brudnej żółtej burce.

– U wylotu ulicy czeka na was samochód – zwróciła się do babki. – Kierowca to dobry człowiek, który dużo dla nas zrobił. Możecie mu zaufać.

Kiedy czekali oboje na zewnątrz, ruszyłam za babką od pokoju do pokoju; sprawdzała okna i zamykała drzwi – u mnie, w gabinecie ojca, w sypialni rodziców. Babka była bliska płaczu, nie znajdowałam jednak dla niej słów pociechy. Myślałam tylko o jednym – że muszę dokładnie zapamiętać każde pomieszczenie w tym domu. Żadna z nas się nie odzywała.

Dźwigając w obu dłoniach ciężkie torby, podążyłam obok babki na koniec ulicy i wsiadłam do samochodu. Pożegnałam się z górami wokół mego miasta – one też były moimi przyjaciółmi. To nie potrwa długo, powiedziałam sobie, wrócę tu za kilka miesięcy.

*

Wpatrywałam się w wielki napis: „Wiejska szkoła dla dziewcząt". Był to duży parterowy budynek, pomalowany na biało, niebiesko i zielono. Miałam już kilkanaście lat i po raz pierwszy szłam do szkoły.

Byłyśmy z babką wyczerpane. Podróż trwała dwa dni i dwie noce. Przewieziono nas przez granicę afgańską – mijając każdy posterunek po drodze, miałyśmy duszę na ramieniu – potem do Peszawaru w Pakistanie, stamtąd zaś ruszyłyśmy pociągiem do miasta Kweta, gdzie ze stacji kolejowej miał na nas odebrać inny kierowca. Dopiero po przekroczeniu granicy babka mi powiedziała, że będę musiała mieszkać w tamtejszej szkole, dzień i noc, i że ona zamieszka w innej części miasta. Protestowałam i płakałam, ale na próżno. Gdyby powiedziała mi przed opuszczeniem domu, że się rozstaniemy, nigdy bym się nie zgodziła na wyjazd z Kabulu.

Brama szkoły otworzyła się przed nami i wjechaliśmy na dziedziniec. Wyszła nam na powitanie grupa nauczycielek, otoczył też nas tłum ubranych w granatowo-białe mundurki uczennic w różnym wieku, które przyglądały mi się ciekawie.

Byłam bliska płaczu, ale zacisnęłam zęby, bo wstydziłam się tych dzieci.

– Dokąd jedzie moja babka? – spytałam tylko.

Jedna z nauczycielek, wysoka i zgrabna kobieta o długiej szyi, podeszła do babki i ucałowała jej dłoń. Była ubrana podobnie jak wiele pakistańskich kobiet w szalwar kamiz – spodnie i długą koszulę do kolan. Dopiero później się dowiedziałam, że nauczycielki, bez wyjątku Afganki, noszą te ubrania, by nie wyróżniać się na ulicy.

Babka dotknęła policzków kobiety i ucałowała czubek jej głowy. Była to oznaka szacunku, typowa dla starszej kobiety.

Nauczycielka powiedziała mi, że nazywa się Hameda. Uśmiechnęła się do mnie.

– Nie martw się, spodoba ci się tutaj. Zostaniesz z nami, ale obiecuję, że niebawem spotkasz się z babką.

– Zobaczymy się w piątek, w dniu wolnym od pracy – przyrzekła babka.

Hameda była delikatna i miła, nie odrywała mnie siłą od babki. Nie spodziewałam się, że nauczycielka w szkole może być taka serdeczna, wręcz przeciwnie, zawsze słyszałam, że są bardzo surowe. Hameda przedstawiła mnie kilkorgu dzieciom, choć jej o to nie prosiłam. Powiedziała im, by pomagały mi w nauce. Byłam zbyt smutna i zagubiona, by się do nich odezwać, czy choćby spamiętać ich imiona.

Nie poszłam tego ranka wraz z innymi dziewczętami do klasy. Nalegałam, by Hameda pozwoliła mi posiedzieć z babką w pustej sali, żebym mogła przejrzeć podręczniki, które od niej dostałam. Po dwóch godzinach jednak powiedziałam do babki:

– W porządku, możesz mnie tu zostawić.

Dziwiłam się, że posiłek składający się z gotowanej fasoli, smażonych jajek i ryżu jest spożywany w taki sposób. Byłam przyzwyczajona do jedzenia w towarzystwie jedynie babki, a tu dziewczęta siadały razem na dywanie. Nauczycielki siadały z nami i jadły to samo, co my. Wszystkie byłyśmy traktowane równo.

Kiedy po obiedzie podeszło do mnie kilka dziewcząt i poprosiło, bym się z nimi pobawiła, odparłam, że dzisiaj nie chcę. Znalazłam sobie odosobnione miejsce na podwórzu i usiadłam na dużym kamieniu z dala od innych dzieci.

Tego popołudnia Hameda, która nauczała powszechnie używanego w Afganistanie języka pusztu, wezwała mnie do swego gabinetu.

– Będzie ci tu dobrze – zapewniła. – Wiem, że to twoje pierwsze spotkanie ze szkołą, więc trochę potrwa, zanim się przyzwyczaisz. Chcę ci jednak już teraz wyjaśnić parę rzeczy.

Powiedziała mi, że wszystkie dziewczęta w szkole pochodzą z Afganistanu. Niektóre należały do plemienia Pasztunów, tak jak ja, ale również do Hazarów, a także innych, o których wcześniej nie słyszałam.

– Nie wolno ci jednak nigdy, przenigdy pytać, z jakiego plemienia pochodzą – uprzedziła Hameda. – Nie wyśmiewaj innych dziewcząt tylko dlatego, że różnią się od ciebie. Niektóre nie umieją mówić po persku, inne mają wymowę, która wyda ci się dziwna, jeszcze inne różnią się od ciebie wyglądem. Powinnaś to uszanować. Miejsce, z którego pochodzą, nie czyni ich ani lepszymi, ani gorszymi od ciebie. Nigdy nie stosuj wobec nich przemocy, nie wszczynaj bójek ani nie ciągnij ich za włosy. Traktuj je jak przyjaciółki, jak siostry.

Dodała jeszcze, że babka powierzyła mnie szkole i że RAWA zapłaci za moją naukę. Lecz w dniu, kiedy opuszczę te mury, muszę stać się inną osobą, w przeciwnym razie czas spędzony tutaj pójdzie na marne. Klasa to coś więcej niż siedzenie godzinami na krześle przed nauczycielką. Tylko ode mnie zależy, czy będę odrabiała lekcje i dostawała dobre oceny, czy będę się uczyła dla własnego dobra, a nie przez wzgląd na nauczycielki. Powinnam traktować je nie tylko jako przyjaciółki, lecz również matki.

– Jeśli zatęsknisz kiedykolwiek za domem – ciągnęła – staraj się nie zdradzać przed dziewczętami, że chcesz wracać do kraju. Wszystkie uczennice mają w Afganistanie rodziny, niektóre nie widziały ich od miesięcy, a nawet lat. Będą się czuły jeszcze gorzej. Jeśli nie dostosujesz się do którejś z powyższych zasad, będę zmuszona potraktować cię surowo. Nie lubimy bić dziewcząt, ale jeśli dopuściły się poważnego uchybienia, nie mamy wyboru. Masz jakieś pytania?

Odparłam, że nie. Czułam się zbyt onieśmielona i zakłopotana, by z nią rozmawiać.

Tego wieczoru, przed pójściem do łóżka, kazano mi umyć dłonie i stopy i uczesać się, co też było obowiązkowe. Potem zaprowadzono mnie do sypialni. Była to długa, wąska sala z piętrowymi pryczami dla sześćdziesięciu uczennic. Dostałam górne łóżko w samym rogu. Byłam zadowolona z tego miejsca, które zapewniało mi samotność.

Światło zgaszono o jedenastej, ale nie mogłam zasnąć. Myślałam o tym, co powiedziała mi Hameda o babce i o naszym domu w Kabulu. Pogodziłam się wcześniej z faktem, że muszę opuścić dom, a teraz zmuszono mnie do rozstania z babką. Byłam zupełnie sama, nie miałam nawet przy sobie Mujdy, którą zostawiłam pod opieką babki, ponieważ bałam się, że dzieci w szkole zechcą się nią bawić.

Schowałam głowę pod koc i rozpłakałam się, usiłując to robić bezgłośnie w nadziei, że żadna z dziewcząt mnie nie usłyszy. Lecz Sejda, która spała pode mną, usłyszała mój płacz i wspięła się do mnie po drabince. Majtając w powietrzu nogami, pociągnęła za koc na mojej twarzy, ale trzymałam go mocno.

– Nie dotykaj mnie – syknęłam.

Przestała ciągnąć.

– Płaczesz? – spytała.

– Nie – skłamałam, próbując obetrzeć oczy i nos.

Nie przejęła się.

– Dlaczego płaczesz? – spytała.

Nic nie odpowiedziałam.

Musiała wyczuć, że jej obecność mi pomaga – że przestałam płakać – i choć wciąż chowałam się pod kocem, zaczęła mi opowiadać o swoich rodzicach i trzech siostrach mieszkających w wiosce na zachodzie Afganistanu. Od kilku tygodni nie miała od nich żadnych wiadomości. Było mi wstyd, że okazałam słabość i że Sejda wstała z łóżka, żeby mnie pocieszać. Przypomniałam sobie, co powiedziała mi Hameda, że wszystkie dziewczęta tęsknią za swoimi rodzinami, które pozostawiły w Afganistanie, gdzieś w odległych prowincjach. Ja przynajmniej miałam babkę w tym samym mieście.

– Chcesz wracać do domu? – spytała Sejda.

Opuściłam z wolna koc, odkrywając tylko oczy.

– Nie, nie chcę wracać do domu – odparłam.

– Przestań się martwić. Jutro będziemy razem. Nauka sprawia z początku trudności, ale zawsze pomagamy tym nowym. Na pewno ci się tu spodoba, tak jak nam. Mamy szczęście, że tu jesteśmy.

Pomimo jej serdeczności nie spałam dobrze. Widziałam w nocy, jak do sypialni wchodzi jakaś nauczycielka, i zastanawiałam się, co robi. Patrzyłam na nią spod koca, ale udawałam, że śpię. Bałam się, że zacznie ze mną rozmawiać, a ja nie będę miała jej nic do powiedzenia. Potem się dowiedziałam, że trzy nauczycielki chodzą po szkole na zmianę co dwie godziny. Pocieszają dziewczęta, które nie mogą zasnąć, a także pilnują boiska i ulicy przed bramą.

Nazajutrz wczesnym rankiem, kiedy wreszcie usnęłam, zbudził mnie głos muezina. Kilka dziewcząt wstało z łóżek i zaczęło się modlić na dywanikach. Potem znów się położyły.

Większość jednak spała mocno. Niektórymi trzeba było potrząsnąć albo spryskiwać twarze wodą, by chciały wstać i ustawić się w długiej kolejce do łazienki, gdzie myłyśmy się nad zlewem.

ROZDZIAŁ VIII

Ponieważ zawsze wolałam towarzystwo dorosłych, pierwsze dni w szkole były trudne. Jednak dzienny rozkład zajęć nie pozostawiał zbyt dużo wolnego czasu, dzięki czemu szybko wdrożyłam się do nowego życia. Zazwyczaj nie znosiłam różnych zakazów i nakazów, ale przepisów szkolnych przestrzegałam jak automat i robiłam to co inni.

Z początku podobało mi się, że będę miała własny mundurek. Czułam się w nim jak prawdziwa uczennica. Wstawałam wcześnie rano, żeby na niego popatrzeć, a potem wkładałam go ostrożnie. Był jasnoniebieski z białym kołnierzykiem i mankietami. Jednak wkrótce zmęczyłam się częstą zmianą ubioru w ciągu dnia. Nosiłyśmy mundurki podczas porannych zajęć, a przed obiadem musiałyśmy przebierać się we własne rzeczy. Następnie odrabiałyśmy lekcje, a potem, przed zajęciami wychowania fizycznego, znów się przebierałyśmy, tym razem w białe sportowe kostiumy. Przed kolacją wkładałyśmy ponownie własne ubrania.

Pod koniec tygodnia Hameda wezwała mnie do siebie.

– Chcemy, byś sama zadecydowała – oświadczyła. – Wolisz zostać w szkole, czy zamieszkać z babką?

Nie wiedziałam, co odpowiedzieć. Kusiło mnie, żeby zawołać: „Tak, tęsknię za babką i chcę się do niej przenieść". Byłam jednak na to zbyt dumna. Rozstałam się z babką na kilka zaledwie dni, ale inne dziewczęta spędzały z dala od rodzin całe miesiące, nawet lata.

– Zostanę – odparłam.

Uśmiechnęła się.

– Wiedziałam, że to powiesz.

Zaczęłam poznawać bliżej dziewczęta, które miały od siedmiu do szesnastu lat. Często w zajęciach brały udział uczennice w różnym wieku, a wtedy młodsze żartowały sobie z pozostałych: „Jesteście za stare, by się z nami uczyć". Wkrótce odkryły, że boję się jaszczurek, i gdy znalazły jakąś na dziedzińcu, przybiegały do mnie i podsuwały mi pod nos, a ja krzyczałam i uciekałam.

Dziewczęta były bardzo różne i mówiły z akcentem, którego nigdy wcześniej nie słyszałam. Jedna z nich pochodziła z prowincji Nuristan, górzystej i odludnej. Gdy zjawiła się w szkole, nie potrafiła zaakceptować nowych zasad i kłóciła się z nauczycielkami. Pewnego dnia przywołała inną dziewczynę, mówiąc, że ma dla niej coś, co uczyni jej ucho pięknym. Po czym wepchnęła tamtej w ucho mały kamyk tak głęboko, że trzeba było ją zawieźć do szpitala Malalai, prowadzonego przez RAW-ę.

Niektóre nowe uczennice miały wszy. Przerywano wtedy lekcje i wszystkie – cała sześćdziesiątka – musiałyśmy siedzieć na dziedzińcu pod palącym słońcem, a nauczycielki pochylały się nad nami i przeglądały nam włosy.

Babka zawsze ostrzegała mnie przed wszami, mówiąc, że są odrażające. Nigdy ich nie miałam. Chciałam uciekać, ale nauczycielki nalegały, bym poddała się kontroli jak pozostałe uczennice. Czerwieniłam się ze wstydu, czując, jak palce nauczycielki rozgarniają mi włosy.

Saima była o rok ode mnie starsza i pochodziła z chłopskiej rodziny mieszkającej niedaleko Kunduzu. Miała bardzo długie włosy i cały czas smarowała je olejem, co wydawało mi się dziwne. Od samego początku pomagała mi w lekcjach, zwłaszcza z języka pusztu, którym posługiwała się znacznie lepiej ode mnie. Polubiłam ją, ponieważ po spotkaniu z członkinią RAW-y postanowiła pójść do szkoły, chociaż jej zacofana rodzina pragnęła, by pozostała w domu. Kiedy opowiedziała mi swoją historię, poczułam się bardzo mała i miałam żal do samej siebie, że nigdy nie zdobyłam się na to, by stawić komukolwiek opór.

W pierwszy piątek po przybyciu do szkoły, to znaczy w dniu, gdy Hameda spytała mnie, czy chcę odejść, pojechałam zobaczyć się z babką. Pewien kierowca zawiózł mnie do jej domu, pół godziny drogi od szkoły. Poczułam się bezpieczna, kiedy ją uściskałam; wciąż pachniała znajomym talkiem. Przywitałam się też z Mujdą, co trwało jednak krótko, bo już się nią tak nie interesowałam jak dawniej.

Podczas posiłku – był to mój ulubiony ryż z tłustą jagnięciną na oliwie – zauważyłam, że jest jeszcze smutniejsza niż w Kabulu. Nawet jej włosy wydawały mi się bardziej szare, dostrzegłam też na skroniach siwiznę, zachodzącą aż na tył głowy.

Nie miałam odwagi powiedzieć jej, jak bardzo za nią tęskniłam. Kiedy mnie spytała, czy jestem szczęśliwa w szkole, odparłam twierdząco. Zamiast narzekać, zaczęłam ją pocieszać.

Powiedziała, że jej życie zmieniło się i że czuje się o wiele starzej. Dodała, że dzieli dom, który był mniejszy od naszego w Kabulu – tylko dwa pokoje – z członkinią RAW-y.

Próbowałam ją rozweselić.

– Babciu, przyznaj, że byłam dla ciebie ciężarem. Posłałaś mnie do szkoły, żeby się mnie pozbyć – zażartowałam.

Obdarzyła mnie słabym uśmiechem.

– Tak, słusznie, jesteś prawdziwym ciężarem, bardzo dużym i niewdzięcznym. A teraz zmykaj, bo nauczyciele dadzą ci burę za spóźnienie.

Przez następne miesiące i lata widywałam ją coraz rzadziej. Zawsze gotowała mi coś pożywnego, wiedząc, że szkołę stać na mięso i owoce tylko raz w tygodniu. Zawsze przynosiłam jej jakiś podarek z bazaru, ale skarżyła się, że nie jestem przy niej, że już jej nie kocham.

Mówiłam, że mam mnóstwo nauki, że chcę dogonić inne dziewczęta, ponieważ straciłam tyle czasu w Kabulu, a ona tylko kiwała głową i powiadała: „Jeśli ty jesteś szczęśliwa, to i ja też". Myślę, że jeszcze przed moim pójściem do szkoły zdawała sobie sprawę, że nigdy nie będziemy już ze sobą tak blisko jak w Kabulu.

Historia należała do moich ulubionych przedmiotów, pragnęłam bowiem dowiedzieć się jak najwięcej o królach, o których babka mi kiedyś opowiadała. Z książek czytanych w Kabulu dowiedziałam się, że obowiązkiem Afgańczyka jest okazywać posłuszeństwo najpierw Allahowi, a potem królowi, i że król pod względem autorytetu ustępuje tylko Allahowi. Lecz w szkole uczono, że to nieprawda, że król nie jest drugim Bogiem, tylko zwyczajnym człowiekiem, i że jeśli uczynił coś, co zaszkodziło krajowi, to naszym obowiązkiem jest wypowiedzieć mu posłuszeństwo. Kiedy się o tym dowiedziałam, zadałam sobie pytanie, dlaczego w takim razie królowie mają takie wielkie pałace wyłącznie dla siebie. Przecież mogliby mieszkać równie dobrze w normalnych domach i wydawać swe pieniądze na poddanych.

Na lekcjach perskiego czułam się tak, jakbym znów siedziała na ojcowskich kolanach. Nauczycielka zapisywała na tablicy różne słowa – „szkoła", „Rosjanie", „reżim", „wolność" – i kazała nam układać z nimi poprawne zdania. Dzięki naukom ojca zawsze potrafiłam coś szybko wymyślić.

Angielski wydał mi się trudny – był niepodobny do innych przedmiotów, ale nauczycielki tłumaczyły, że jego znajomość pomoże nam przekazać ludziom w innych krajach, co się dzieje w Afganistanie, a także czytać książki, które nie zostały przetłumaczone na perski. Matematyka, gotowanie i szycie należały do przedmiotów, których najbardziej nie lubiłam. Na klasówkach z matematyki, kiedy nauczycielka nie patrzyła, Saima pomagała mi w przestępczym procederze. Wystarczyło, że dostrzegła w moich oczach cień desperacji – głowę miałam pełną liczb pozbawionych jakiegokolwiek sensu – by szybko podsunąć mi swoją kartkę do przepisania. Być może nauczyciele zdawali sobie z tego sprawę, ale ponieważ byłam tak daleko w tyle za innymi dziewczynami, a z pozostałych przedmiotów szło mi dobrze, nigdy mnie nie karali. Kończyło się na słabych ocenach z matematyki. Kiedy należało coś uszyć, prosiłam zwykle jedną z przyjaciółek, by zrobiła to za mnie. Potem oddawałam pracę nauczycielce, mówiąc, że jest moja.

Moje gapiostwo płatało mi czasem figle. Nie mogłam się przyzwyczaić do surowo przestrzeganego planu nauczania i gdy inne dziewczęta zapisywały w dzienniczkach daty klasówek miesiąc wcześniej i przygotowywały się należycie, ja zjawiałam się w klasie przekonana, że to klasówka na przykład z perskiego, lecz gdy nauczycielka rozdała kartki z pytaniami, przeżywałam prawdziwy szok. Okazywało się, że to nie perski, tylko matematyka. A ponieważ byłam pewna swego, siadałam sama, a nie obok kogoś, kto mógłby mi pomóc. Pisałam więc na kartce tylko swoje nazwisko i oddawałam ją bez odpowiedzi. Kiedy opowiadałam koleżankom, co się stało, nie mogły uwierzyć. „Jesteś chyba jedyną dziewczyną w całej szkole, która nie wie nawet, z czego jest klasówka", śmiały się. Było mi wstyd. Starałam się pamiętać, by spytać zawczasu kogoś, ale i tak często wpadałam.

Nie narzucano nam żadnej religii. Nauczycielki mówiły, że wiara jest prywatną sprawą między nami a Bogiem, jeśli w niego wierzymy, i że nie będą się wtrącać.

Dowiedziałam się, jak przychodzą na świat dzieci. Na lekcjach biologii pokazywano nam rysunki ludzkiego ciała. Nauczycielki odpowiadały na wszystkie nasze pytania i tłumaczyły, jak zapobiegać ciąży. Mówiły, że gdy w rodzinie jest ośmioro dzieci, to nie mogą być zdrowe. Ludzie powinni mieć duże rodziny tylko wtedy, gdy stać ich na odpowiednie wyżywienie, naukę i opiekę medyczną dla swoich dzieci.

Nauczycielka dowodziła, że kobiety nie muszą być niewolnicami mężczyzn, że i one mają prawo do przyjemności jak mężczyźni. Przemoc seksualna wobec młodej kobiety, jak nam powiedziano, może na całe życie pozbawić ją zdolności do odczuwania zadowolenia. Po raz pierwszy mówiono o tych sprawach w mojej obecności tak otwarcie i naturalnie, po raz pierwszy też usłyszałam słowo „orgazm".

Wszystkie bez wyjątku pragnęłyśmy mieć możliwość wyboru męża. W mojej rodzinie zawsze się mówiło, że nikt mi nie będzie go narzucał przez zaaranżowane małżeństwo.

Nie uważałam jednak, że muszę koniecznie wychodzić za mąż. Wielu Afgańczyków sądzi, że wszelkie ambicje dziewczyny sprowadzają się do jednego: dorosnąć w swym domu – jest nawet takie powiedzenie, powtarzane przez starsze kobiety, że dziewczyna jest gościem w domu rodziców – a potem zamieszkać u męża i wychować własne dzieci. Nigdy nie byłabym niewolnicą mojego męża i nikt by mi nie mówił, co mam gotować i jak wydawać pieniądze.

Nigdy nie przyszło mi do głowy, że mogłabym mieć przed ślubem intymne kontakty z mężczyzną. Dowiedziałyśmy się, że na Zachodzie uważa się to za rzecz normalną. Lecz ani ja, ani inne dziewczęta nie dostrzegałyśmy w tym nic normalnego i w ogóle nam się to nie podobało. Nie pocałowałabym mężczyzny przed ślubem ani też nie wyszłabym z nim sama wieczorem, gdybym nie była zaręczona. Miałam nadzieję, że uda mi się pójść w ślady rodziców: wzięli ślub i kochali się nawzajem.

ROZDZIAŁ IX

W przeciwieństwie do nauczycielki, którą miałam przez krótki czas w Kabulu, kobiety w naszej szkole były bez reszty oddane swej pracy. Wyczuwałam, że zwłaszcza Hameda byłaby gorzko rozczarowana, gdybym zmarnowała choć godzinę lekcji, nie nauczywszy się czegoś. Miała około trzydziestu lat, była niezamężna, a jej brat zginął, walcząc z Rosjanami. Żywiłam dla niej duży szacunek.

Pewnego ranka przerwano nagle lekcje i wezwano wszystkie dziewczęta na dziedziniec. Hameda ustawiła nas w szeregu i stanęła przed nami z poważną miną.

– Zginęło trochę pieniędzy z pokoju nauczycielskiego – obwieściła. – Nie po raz pierwszy, teraz jednak musi się to skończyć. Wiem, kto to zrobił, chcę jednak, by ta dziewczyna wystąpiła i przyznała się. Czekam.

Nikt się nie odezwał. Nie miałam pojęcia, kto ukradł te pieniądze, i zastanawiałam się, dlaczego Hameda, która to wiedziała, tak bardzo chce, by sprawczyni przyznała się przed wszystkimi.

Po długiej chwili Hameda podeszła do drzewa rosnącego na dziedzińcu, wyciągnęła ramię i odłamała cienką gałązkę.

– W porządku – powiedziała. – Jeśli sprawczyni nie chce się przyznać, to cała szkoła zostanie ukarana.

Popatrzyłyśmy po sobie z Saimą osłupiałe. Nawet stojące z boku nauczycielki były wyraźnie zdziwione. Nikt się chyba nie spodziewał, że Hameda powie coś takiego.

Hameda wywoływała po kolei dziewczyny. Kiedy padło moje imię, podeszłam do niej bezzwłocznie. Unikając jej wzroku, wyciągnęłam rękę dłonią do góry. Rózga uderzyła mnie mocno, ale nie do krwi. Czułam nie tyle ból, ile gniew, że Hameda ukarała niewinne dziewczęta, skoro tylko jedna odpowiadała za kradzież. Nie mogłam zrozumieć, dlaczego to zrobiła.

Kilka dni później znowu nas zwołano. Zastanawiałam się, za co zostaniemy ukarane tym razem, ale wkrótce zorientowałam się, że przyszła kolej na Hamedę. Zebranie określono jako „sesję skarg", a przyjaciółki wyjaśniły mi, że podczas owej sesji zachęca się uczennice, by wyrażały krytyczne opinie na temat szkoły i nauczycielek. Wydało mi się to obłąkanym pomysłem – czyż nie powinnyśmy każdym słowem okazywać im szacunku?

Na zebraniu zabrało głos kilka nauczycielek. Powiedziały, że Hameda postąpiła niesłusznie. Dała się ponieść gniewowi i naraziła się na utratę autorytetu. Czułam się zakłopotana tak jak ona i milczałam, gdy nauczycielki pytały nas, co myślimy o tym wszystkim. Byłam zresztą zbyt nieśmiała, by przemawiać w obecności tak wielu osób.

Saima jednak wstała, by zabrać głos. Powiedziała, że Hameda postąpiła niesłusznie i że byłoby o wiele lepiej, gdyby znaleziono winną i ukarano tylko ją.

Oczekiwałam, że dziewczyna zostanie zbesztana za takie słowa. Lecz Hameda wstała, przyznała się do błędu i przeprosiła nas wszystkie. Nigdy wcześniej nie widziałam, by dorosły zrobił coś takiego. Ani babka, ani rodzice nigdy mnie za nic nie przeprosili.

Później Hameda, której nie udało się znaleźć winnej dziewczyny, wyjaśniła mi, że nie ma nic niezwykłego w krytykowaniu dorosłych przez dzieci. „Tak działa demokracja – powiedziała. – Każdemu wolno mówić, co sądzi". Sesje skarg odbywały się co miesiąc, ale nigdy nie zabierałam na nich głosu. Niektóre nauczycielki miały nawet do mnie pretensje o ten brak aktywności. „Nie myśl tylko, że zapewniasz sobie w ten sposób dobre oceny – mówiły. – Jest twoim obowiązkiem krytykować ludzi sprawujących władzę, jeśli uważasz, że postępują niewłaściwie". Ale byłam uparta i nadal nie zabierałam głosu.

Nawet filmy, które nam pokazywano, mówiły zwykle o jakiejś formie oporu. „Spartakusa" oglądałam chyba z tuzin razy, lubiłam też „Julię", w której Jane Fonda gra żydowską pisarkę przewożącą pieniądze przez nazistowskie Niemcy, a także „Sutjeskę" z Richardem Burtonem. Grał marszałka Titę i wydaje mi się, że wojna w Jugosławii, którą prowadził, bardzo przypominała wojnę w mojej ojczyźnie.

Fakt, że przy bramie szkolnej zawsze stał wartownik, kazał mi się zastanowić, co jest takiego szczególnego w naszej szkole. Nigdy się nie dowiedziałam, czy był uzbrojony, ale dziewczęta mi powiedziały, że został przeszkolony w strzelaniu. Zaczęłam zadawać sobie pytanie, czego ma bronić, i stopniowo zrozumiałam, że wszystkiego, co nasza szkoła symbolizuje.

Była ona finansowana przez RAW-ę z dotacji sympatyków stowarzyszenia zarówno w Afganistanie, jak i w innych krajach, a także z pieniędzy uzyskiwanych ze sprzedaży dywanów i rękodzieł kobiet z pakistańskich obozów dla uchodźców. Szkoła broniła ideałów, o które walczyła moja matka, gdy byłam dzieckiem. To RAWA dobierała nauczycieli i uczennice, a także decydowała o charakterze nauczania – ono właśnie narażało nas na ataki afgańskich fundamentalistów żyjących w Pakistanie, i to do tego stopnia, że trzeba było nas pilnować dzień i noc.

Nie wolno nam było wychodzić do miasta bez opieki. Ilekroć wybierałam się w odwiedziny do babki, zabierał mnie jakiś kierowca z RAW-y, zawsze też musiałam wsiąść do samochodu jeszcze przed wyjazdem za bramę. Wycieczki szkolne należały do rzadkości. Raz, spędzając dzień nad jeziorem Jahil w Kwecie, kiedy usiadłyśmy na trawie przykrytej dywanikami do posiłku składającego się z gotowanych ziemniaków i mięsa, cały czas pilnowali nas mężczyźni, jak się potem dowiedziałam, sympatycy RAW-y – niejednokrotnie krewni i przyjaciele należących do stowarzyszenia kobiet.

Właśnie dlatego, że nie można było często wychodzić poza szkołę, każdego popołudnia miałyśmy dwie godziny wf., w tym gimnastykę i badminton. Nauczycielki starały się zapewnić nam jak najwięcej zajęć na świeżym powietrzu. Gdy tylko robiło się dostatecznie ciepło, rozkładałyśmy w narożniku dziedzińca dywaniki i siadałyśmy do odrabiania lekcji.

Niektóre z nas symulowały chorobę, licząc na to, że zostaną na kilka dni zabrane do szpitala prowadzonego przez RAW-ę. Lecz nauczycielki orientowały się zwykle, kiedy kto udaje. Szpital Malalai nie był zwyczajną placówką zdrowia. Na salach wisiały plakaty RAW-y, a personel informował pacjentów o ich prawach i zachęcał niepiśmienne kobiety, by uczyły się czytać i pisać.

Cały czas groziły nam ataki ze strony różnych frakcji fundamentalistycznych mudżahedinów, którym Pakistan, pragnący stworzyć blok islamski w Azji Środkowej, zezwolił na korzystanie ze swego terytorium jako bazy jeszcze podczas radzieckiej okupacji Afganistanu. Frakcje te założyły biura i tysiące szkół koranicznych - czyli medres - w obozach uchodźców w całym kraju, co oznaczało, że hordy uczniów w turbanach pragnęły zaatakować RAW-ę, widząc w niej nie tylko zagrożenie dla wyznawanych przez siebie wartości, ale też najgłośniejszego krytyka zbrodni popełnianych przez mudżahedinów. Całe obszary w miastach, gdzie RAWA była obecna, nie wyłączając Kwety i Peszawaru, zostały przez najbardziej skrajnych uchodźców zamienione w strefy dla niej absolutnie niedostępne. RAWA nigdy nie wywiesiła swej nazwy na murze naszej szkoły.

Pomimo to czułam się o wiele swobodniej w szkole niż w Kabulu, choć nigdy nie zapomniałam o swoim mieście. Kiedy chciałam być sama, siadywałam w moim ulubionym narożniku dziedzińca. Szczególnie lekcje historii i geografii budziły we mnie tęsknotę za krajem. Nauczycielka mówiła o trwającym całe wieki oporze Afganistanu wobec obcych najeźdźców, o jego pięknych górach, a ja przypominałam sobie opowieści z dzieciństwa. Raz jedna z dziewcząt spytała nauczycielkę: „Ale przecież teraz niczego nie ma w naszym kraju, więc dlaczego mamy go kochać? Czy nie powinnyśmy raczej kochać Pakistanu, gdzie mieszkamy?".

Nigdy nie miałam takich wątpliwości. Afganistan był zawsze mój i powinnam go kochać, a jeśli niczego w nim teraz nie było, to uznałam, że muszę dopomóc w zbudowaniu czegoś, choć nie wiedziałam jeszcze czego. Przesiedziałam wiele godzin na dziedzińcu, rozmyślając o tym, co pozostawiłam w Afganistanie. Widziałam w wyobraźni kraj, którego mieszkańców ciężko okaleczono. Lecz nigdy nie pokochałam Pakistanu – nie mógłby mi zastąpić ojczyzny.

*

Najbardziej interesowały mnie lekcje, na których poznawałam dzieje RAW-y. Miałam piętnaście lat, kiedy dowiedziałam się więcej o tym stowarzyszeniu od Sorai, która prowadziła lekcje nauk politycznych. Była starsza od pozostałych nauczycielek i tak miła jak moja matka. Niewiele o niej wiedziałam, z wyjątkiem tego, co zawsze starsze dziewczęta szeptały na ucho nowicjuszkom – że jest bardzo zaangażowana w tajną działalność organizacji. Znałyśmy ją jako odważną kobietę, którą musimy darzyć respektem.

To dzięki Sorai poznałam znaczenie słów „demokracja", „prawa człowieka", „feminizm". Powiedziała mi, że mężczyźni nie mogą zostać członkami RAW-y nie dlatego, byśmy miały coś przeciwko nim – potrzebowałyśmy ich pomocy, by kontynuować pracę – ale ze względu na samą ich naturę.

Soraya chciała, byśmy czytały jak najwięcej literatury i poznawały historię obu wojen światowych, a także nazizmu i faszyzmu. Nigdy nie mówiła o sobie jak o naszej nauczycielce, twierdząc, że możemy ją wiele nauczyć. Nazywałyśmy ją „Siostrą".

Kiedy spytałam ją, jak długo trwa tworzenie demokracji, odparła cierpliwie: „Nie ma na to cudownej recepty". Tak samo odpowiadała mi matka, kiedy pytałam, jak może pomóc afgańskim kobietom. Soraya nigdy nie śmiała się z moich pytań i nigdy nie poprawiała moich wypracowań czerwonym atramentem. Wolała niebieski albo czarny. „Nie jestem tu po to, by cię sądzić" – mawiała.

Kiedy już byłam od dłuższego czasu w szkole, odwiedził mnie daleki kuzyn, który wyjechał do Kanady na studia i postanowił tam zostać. Dowiedział się o miejscu mojego pobytu dzięki RAW-ie. Opowiedział mi o swoim nowym życiu i zaproponował, że mnie zabierze ze sobą i pomoże zdobyć wykształcenie. Nauczę się angielskiego, przekonywał, a potem będę mogła studiować, co tylko zechcę. Nie popierał idei oporu, dowodził, że próba zmiany sytuacji w Afganistanie jest bezsensowna.

Pomyślałam o tysiącach dziewcząt w najodleglejszych wioskach Afganistanu, równie zdolnych jak ja, którym nikt nigdy nie da takiej szansy. Nie wyobrażałam też sobie, bym mogła opuścić babkę i koleżanki ze szkoły.

Kuzyn był zdumiony, kiedy mu powiedziałam, że chcę zostać tu, gdzie jestem, że nie wyobrażam sobie życia tak daleko od ojczyzny. Gdy usłyszał ode mnie słowa: „By kochać swój kraj, musisz być gotów za niego umrzeć", pokiwał z niedowierzaniem głową. „Jesteś tylko dzieckiem – odrzekł. – Skąd u ciebie takie poważne myśli?".

Nie powiedziałam mu, że według mnie ma serce małe jak ptak.

*

Nie mogłyśmy powstrzymać śmiechu, kiedy Soraya oświadczyła, że wszystkie musimy zmienić imiona. „Wiecie doskonale, że szkoła jest narażona na niebezpieczeństwo, że mamy wrogów – oświadczyła. – Pewnego dnia to zrozumiecie. Ja też nie nazywam się naprawdę Soraya. Ale proszę was, byście dalej posługiwały się tym imieniem".

Dla nas to była tylko zabawa. Cieszyłam się, bo miałam wrażenie, że staję się kimś ważnym. Wszystkim dziewczętom w szkole, w wieku od dwunastu lat wzwyż, nakazano posługiwać się fałszywymi imionami. My, te starsze, odczuwałyśmy wyższość nad młodszymi, które nazywały się po staremu.

Upłynęło trochę czasu, zanim przywykłam do nowego imienia, które wybrała dla mnie Soraya. Napisała je na karteczce i wręczyła mi. Przez pierwsze dni nauczycielki musiały mnie wywoływać po kilka razy, zanim sobie uświadamiałam, że to ja mam podejść do tablicy. Niejedna z nas miała z tym kłopoty i wtedy śmiała się cała klasa.

Imię Zoja wybrałam sobie znacznie później. Przyjechała do nas pewna rosyjska dziennikarka. Spędziłam z nią trochę czasu, ponieważ chciała się czegoś dowiedzieć o prawach kobiet w Afganistanie. Niemal się spodziewałam, że to będzie blondynka o zielonych oczach, jak Rosjanka, która chciała mi dać czekoladę w sklepie obok mojego domu w Kabulu. Ale ta miała ciemne włosy i brązowe oczy, a ponieważ tak bardzo interesowała się naszą pracą na rzecz kobiet, szybko zapomniałam, że jej kraj bardzo długo okupował Afganistan.

Kiedy odprowadziłam ją do hotelu i żegnałyśmy się w drzwiach, pocałowała mnie i ruszyła przed siebie, ale po chwili przystanęła i odwróciła się.

– Mam nadzieję, że nie masz nic przeciwko temu, ale chcę cię o coś prosić.

Uśmiechnęłam się do niej i czekałam w milczeniu.

Rosjanka popatrzyła na mnie ze łzami w oczach.

– Miałam córkę. Zachorowała na raka i zmarła. Nazywała się Zoja. Bardzo za nią tęsknię i chcę cię prosić, byś przybrała jej imię. Nic nie mogłoby mi sprawić większej przyjemności.

Byłam poruszona jej prośbą i nie wahałam się ani chwili. Zapewniłam, że przybiorę imię Zoja. Nie pomyślałam nawet o Rosjanach, którzy najechali Afganistan – wiedziałam, że jest ogromna różnica między władzami jakiegoś kraju a jego narodem. Kilka tygodni później dowiedziałam się, że Zoja to także imię pewnej kobiety, która brała udział w Rewolucji Październikowej. Pytana przez policję, gdzie jest Lenin, odparła: „Tutaj, w moim sercu". Na to oficer prowadzący przesłuchanie oświadczył: „Doskonale, jeśli tam jest, to go tam zabijemy". Po czym wycelował broń w jej serce i strzelił.

ROZDZIAŁ X

Byłam w szkole od dwóch lat, gdy razem z Saimą postanowiłyśmy zebrać kilka dziewcząt i omówić naszą przyszłość. Miałam szesnaście lat i byłam coraz bardziej niezadowolona z faktu, że muszę chodzić codziennie na lekcje i martwić się o matematykę, podczas gdy mój kraj grzęźnie coraz głębiej w koszmarze wojny.

Dowiedziałam się od nauczycielek i z BBC, którego słuchałyśmy w pożyczonym od nich radiu - robiąc przy tym notatki, jak nauczyła nas Soraya - że dla tych, którzy w przeciwieństwie do mnie nie mieli wyboru i musieli zostać w Afganistanie, życie stało się nie do zniesienia. Ostrzał Kabulu trwał nieprzerwanie od czasu, gdy mudżahedini przejęli władzę. W ciągu ostatniego roku, to znaczy 1994, zwalczające się ugrupowania ustanowiły embargo na żywność i wielu mieszkańcom miasta groziła śmierć głodowa.

Pojawił się jednak nowy uczestnik konfliktu. Niepowodzenie podzielonego rządu w ustanowieniu państwa islamskiego skłoniło wielu byłych fundamentalistycznych mudżahedinów do poparcia mułły Mohammeda Omara. To nowe ugrupowanie pojawiło się znikąd, by rozbroić szybko lokalnych komendantów i zdobyć w listopadzie miasto.

Tak narodzili się talibowie. Pragnąc podziękować Allahowi, tysiącami udali się do świątyni płaszcza proroka Mahometa w Kandaharze, jednego z najświętszych miejsc Afganistanu.

Lecz ich sukces nie był wynikiem boskiej interwencji – mułła Omar mógł liczyć nie tylko na skrajnie fundamentalistyczne siły wśród mudżahedinów, ale także na ludzi ze szkół koranicznych, medres, o których opowiadała mi w dzieciństwie babka i które funkcjonowały zarówno w Afganistanie, jak i w pakistańskich obozach dla uchodźców. Talibowie powinni też podziękować pakistańskim władzom, które poparły ich, a nie rząd mudżahedinów. Pakistan stał się największym dostarczycielem uzbrojenia dla sił talibskich.

Tamtej grudniowej nocy, gdy postanowiłyśmy zwołać zebranie, BBC podało, że talibowie przejęli kontrolę nad kolejnymi prowincjami, na podobieństwo raka atakującego Afganistan. Potem spotkałyśmy się w sali nauki, gdzie zwykle odrabiałyśmy lekcje. Usadowione na dywanie i otulone kocami, popijałyśmy czarną herbatę, by się ogrzać.

– Ile lat zamierzacie jeszcze spędzić w szkole? – spytała Saima. – Zdajecie sobie sprawę, że jeśli zostaniemy tu dłużej, to niebawem staniemy się dorosłe, a mimo to nadal nic nie będziemy robić dla naszego kraju i RAW-y?

– A co moglibyśmy zrobić dla RAW-y? Mamy tylko po kilkanaście lat – zauważyła jedna z dziewcząt.

– Mylisz się – odparłam. – Możemy zrobić bardzo

dużo. Jest wiele pracy, a jedno nie ulega wątpliwości: przesiadując w klasie, nie robimy nic.

Gadałyśmy do późna w nocy. Saima i ja przekonywałyśmy nasze koleżanki, że jesteśmy dostatecznie duże, by dostarczać materiały do publikacji stowarzyszenia i brać udział w demonstracjach, które odbywały się w Pakistanie. Panowało takie podniecenie, że kilka dziewcząt rozlało herbatę na koce. Zebranie dobiegło końca, gdy oświadczyłam:

– Jutro z Saimą załatwimy tę sprawę. Czy to się komuś z was podoba, czy nie.

Poszłyśmy do Sorai i oświadczyłyśmy, że jesteśmy bardzo zadowolone z pobytu w szkole, ale nadszedł czas, by wziąć aktywny udział w działaniach RAW-y. Nie okazała zdziwienia. Poprosiła tylko, byśmy zastanowiły się rzetelnie nad tym wszystkim, a potem wróciły do niej. Nie chciałam tracić ani chwili.

– Siostro, myślałyśmy o tym już dostatecznie długo. Jesteśmy zdecydowane i chcemy zacząć od jutra – powiedziałam.

Kilka dni później Soraya wezwała nas do siebie. RAWA przeanalizowała naszą prośbę i zgodziła się, byśmy opuściły szkołę i zamieszkały w jednym z lokali, jakimi stowarzyszenie dysponowało w Kwecie i innych miastach pakistańskich. Były przeznaczone głównie dla młodych zwolenniczek organizacji, które przebywały w tych domach pod opieką pełnoprawnych członkiń RAW-y.

Soraya powiedziała nam, że zaczniemy pracę z chwilą przeprowadzki.

Po tylu latach oczekiwania miałam wreszcie spełnić obietnicę, którą złożyłam po śmierci rodziców. Po raz pierwszy w życiu czułam radość, jaką daje prawdziwa niezależność. Ktoś inny zadecydował za mnie, że mam opuścić Afganistan i pójść do szkoły. Ale teraz decydowałam sama i nie czułam żalu z powodu opuszczenia szkoły.

Gdy tylko mogłam, pospieszyłam z nowinami do babki.

– Córko – powiedziała. – Zostałaś obdarzona niezwykłym życiem. Chcę, byś była taka, jak twój ojciec i matka.

*

Byłam dumna, że my, młode dziewczęta, prowadzimy zakonspirowany lokal RAW-y. Dysponowałyśmy własnym budżetem i podzieliłyśmy się obowiązkami według planu, który określał, kto co robi i kiedy. Żadna z nas nie umiała dobrze gotować, jadłyśmy więc cokolwiek, byle zaspokoić głód. Jednym z obowiązków była warta – zmieniałyśmy się w nocy co dwie godziny, tak aby któraś z nas zawsze pilnowała domu. Była w nim broń, ale miałyśmy nadzieję, że nigdy nie trzeba będzie jej użyć.

Nie musiałam już nosić mundurka i mogłam ubierać się w swoje rzeczy, z których wiele uszyła mi babka. Wciąż miałyśmy lekcje, ale tylko historii, nauk politycznych i angielskiego, których udzielały nam nauczycielki ze szkoły. Jeśli chodzi o historię i nauki polityczne, to wykładały tylko najważniejsze fakty, angielskiego zaś uczyły nas kursem przyspieszonym. Po roku zajęcia dobiegły końca. Był to kres mojej edukacji.

Poza zajęciami mogłam czytać, co tylko chciałam,

pochłaniałam na przykład dzieła Bertolta Brechta przełożone na perski. Znacznie wolniej, bo po angielsku, zapoznawałam się z przemówieniami Martina Luthera Kinga. Przez wiele dni powtarzałam przyjaciółkom maksymę Abrahama Lincolna, zawartą w pismach Brechta: „Można ogłupiać kilku ludzi przez jakiś czas albo wszystkich ludzi przez jakiś czas, nie da się jednak ogłupiać wszystkich ludzi przez cały czas".

Pierwszym zadaniem, jakie wykonałam dla RAW-y, było napisanie cyklu artykułów na temat wydarzeń w Afganistanie dla „Payam-e-Zen" („Przesłanie Kobiet"), magazynu, który stowarzyszenie zaczęło wydawać dwanaście lat wcześniej. Nauczyłam się pisać, jakbym musiała bronić doboru każdego słowa. Przez lata wierzyłam, że im bardziej złożony i skomplikowany wyraz, tym jest piękniejszy. Czytając poezję uważałam, że najlepsze, najbardziej trafne słowa to te, których nie rozumiałam i których znaczenie musiałam sprawdzać w słowniku. Lecz Soraya nauczyła mnie używać jak najprostszych słów, między innymi dlatego, że wielu Afgańczyków ledwie umiało czytać i pisać.

Uczyła mnie również, że polityka to nie długie debaty z politykami w białych kołnierzykach, jak to określała, ale rozmowy z biednymi, niewykształconymi i zacofanymi ludźmi, przekonywanie ich, że mają przed sobą przyszłość. „Nigdy nie rozmawiaj z biedakiem jak nauczycielka, która wie wszystko – przestrzegała mnie. – Nie zapominaj, że nawet najbardziej zacofany wieśniak może cię czegoś nauczyć".

Trzy miesiące po przeprowadzce do naszego lokalu Soraya przyniosła nam gruby plik papierów. Był to podręcznik, zbiór relacji kobiet należących do RAW-y, które opisywały swoje doświadczenia. Soraya powiedziała nam, że powinnyśmy przeczytać je z uwagą i czerpać z nich wiedzę.

Kiedy przyszła moja kolej na lekturę dokumentów, byłam wstrząśnięta, i to tak bardzo, że czytałam je głośno Saimie i pozostałym dziewczętom. Czytałam też w nocy, przyświecając sobie latarką pod kocem, by nie przeszkadzać współmieszkankom. Relacje były spisane ręcznie, kartki pozawijane.

Jedna z członkiń RAW-y opisywała, jak aresztowano ją w Kabulu, a potem powiedziano, że jej brat został zamordowany przez władzę. By zmusić ją do ujawnienia tajemnic organizacji, nie pozwolono jej spać przez kilka dni z rzędu. Strażnicy więzienni bili ją, ilekroć zamykała oczy. Nie zdradziła jednak niczego i w końcu została zwolniona.

Inną kobietę aresztowano w szkole, jednej z najlepszych w Kabulu, kiedy wciąż okupowali go Rosjanie. Była nauczycielką i przekazywała niektóre publikacje RAW-y koleżance z pracy. Ludzie z KHAD-u, tajnej służby afgańskiej wzorowanej na KGB, znaleźli te dokumenty podczas rewizji w mieszkaniu tej koleżanki i ją aresztowali. Były one skierowane przeciwko reżimowi wspomagającemu Rosjan i określały ich jako zdrajców Afganistanu. Policja zwolniła koleżankę, kiedy ta zadenuncjowała nauczycielkę, i ją z kolei aresztowała, choć kobieta miała trzymiesięczne dziecko. Córeczka trafiła razem z matką do więzienia. Kobieta zaprzeczała, jakoby miała należeć do jakiejkolwiek nielegalnej organizacji, więziono ją jednak przez cały rok. Dzisiaj córka jest już dorosła i działa aktywnie w RAW-ie.

Zawsze mówię jej żartem, że była trochę za młoda jak na groźną przestępczynię. Trafiła za kratki w wieku trzech miesięcy!

Relacje opisywały też różne tortury stosowane przez KHAD – krępowanie więźniów i zostawianie przez wiele dni na słońcu, wyrywanie paznokci, porażanie prądem narządów płciowych.

Ogromnie współczułam tym wszystkim kobietom. Kiedy rozmawiałam o ich relacjach z Sorayą, powiedziała mi, że nie można przewidzieć, jak ktoś zniesie tortury. Przysięgłam sobie jednak, że bez względu na to, co się ze mną stanie, nigdy nie zdradzę swych przyjaciół. Nie potrafiłabym żyć z myślą, że ktoś przeze mnie umarł.

To właśnie Soraya opowiedziała mi o życiu Miny, poetki, która założyła RAW-ę. Widziałam jej zdjęcie wiszące przy wejściu do naszej szkoły. Studiowała prawo islamskie na uniwersytecie kabulskim, gdy w wieku dwudziestu lat, w roku 1977, założyła nasze stowarzyszenie, którego pierwotnym celem było tylko równouprawnienie kobiet. Potem wkroczyli Rosjanie i RAWA zeszła do podziemia, i zaczęła z nimi walczyć, lecz wyłącznie środkami pokojowymi. RAWA nie prowadziła kampanii na rzecz jakiejś określonej partii, ale jedynie wolnego, demokratycznego Afganistanu.

W swych pismach Mina nazywała kobiety afgańskie „śpiącymi lwami", które się przebudzą i okażą swą moc. Jeden z jej wierszy nosi tytuł „Nigdy nie zawrócę".

Jestem kobietą, która się przebudziła.
Powstałam z dymu popiołów mych spalonych dzieci.

Powstałam ze strumieni krwi braterskiej,
Gniew mego narodu dał mi siłę.
Moje zniszczone i spalone wioski wypełniają mnie nienawiścią do wroga.
Och, rodaku, nie sądź, że jestem słaba i niezdolna,
Mój głos miesza się z głosami tysięcy przebudzonych kobiet,
Moje pięści zaciskają się wraz z pięściami tysięcy rodaków,
By przełamać wspólnie cierpienia, łańcuchy niewoli.
Jestem kobietą, która się przebudziła.
Znalazłam ścieżkę, z której nigdy nie zawrócę.

Choć żyła na wygnaniu w Kwecie, gdzie założyła szpital Malalai, była świadoma czyhającego na nią zewsząd niebezpieczeństwa. Grożono jej śmiercią i choć poinformowała o tym władze pakistańskie, policja zlekceważyła to, nie dając jej żadnej ochrony. Została uduszona we własnym domu w Kwecie przez agenta KHAD-u. Miała trzydzieści lat.

Soraya powiedziała mi, że jednym z podejrzanych o zaplanowanie tego morderstwa był Gulbuddin Hekmatiar, przywódca mudżahedinów, który po wyjściu Rosjan przez trzy lata ostrzeliwał ludność Kabulu z gór na południu – był odpowiedzialny za śmierć 25 000 mieszkańców stolicy. Życie Miny wciąż jest dla nas źródłem inspiracji.

– Zdajesz sobie sprawę z niebezpieczeństwa – powiedziała Soraya. – Jesteś gotowa to zaakceptować? Możesz niczego nie osiągnąć, mam na myśli pieniądze i władzę. Lecz jeśli zdecydujesz się na tę pracę, możesz się narazić na aresztowanie i tortury, którymi zechcą nakłonić cię do mówienia. Być może nigdy nie będziesz miała prywatnego życia, niewykluczone też, że zginiesz. I pamiętaj: drzwi są zawsze otwarte, jeśli zechcesz odejść. Może nadejdzie dzień, gdy przegrasz ze strachem i zmęczeniem. Powinnaś wtedy zrezygnować, ale musisz na zawsze dochować tajemnic RAW-y.

Nie wahałam się.

– Wiem, że niejedno poświęciłaś, i jestem gotowa uczynić to samo – odparłam.

ROZDZIAŁ XI

Mieszkając i pracując w lokalu RAW-y, stopniowo zdobywałam zaufanie i akceptację jako jej pełnoprawna członkini. Stowarzyszenie nie uznawało żadnych ceremonii dla wstępujących w jego szeregi. Pewnego dnia wręczono mi po prostu kartę członkowską. Niedługo potem Soraya powiedziała nam, że przywódcy mudżahedinów umieścili kilka osób z RAW-y na swej nieoficjalnej liście śmierci. Nasza kwatera główna w Pakistanie otrzymywała listy i telefony z pogróżkami. Ktokolwiek podnosił słuchawkę, był obrzucany wyzwiskami. Kilku kobiet, które pragnęły wstąpić do organizacji, nie przyjęto, ponieważ podejrzewano, że zostały nasłane przez mudżahedinów.

Byłyśmy niedoświadczone i popełniałyśmy błędy. Na samym początku naszego pobytu w lokalu, pewnej nocy, jedna z dziewcząt wpuściła do łóżka śpiącej koleżanki jaszczurkę i obudziła ją. Dziewczyna wyskoczyła z łóżka, krzycząc ze strachu. Soraya ostrzegła, że taki kawał może nas narazić na poważne niebezpieczeństwo. Niewykluczone, że jakiś zaalarmowany hałasem sąsiad zechciałby sprawdzić, co się u nas dzieje.

Nasz dom stał w biednej dzielnicy, gdzie mieszkańcy byli bardziej bezpośredni i wścibscy niż w lepszych częściach miasta. Gdy tylko się wprowadziłyśmy, przyszła nas odwiedzić stara, brzydka kobieta. Nie chciałam być niegrzeczna i zaprosiłam ją do środka. Zasypała nas pytaniami, chciała koniecznie wiedzieć, dlaczego jest nas tak dużo w tym domu. Wyjaśniłam jej, że jesteśmy siostrami. Kobieta miała jednak bystre oko. Zauważyła, że nie jesteśmy do siebie w ogóle podobne. Każda z nas pochodziła z innej grupy etnicznej i było to widać. Po chwili zastanowienia dodała, że mimo wszystko dostrzega pewne podobieństwa między nami. Chciała koniecznie dowiedzieć się czegoś więcej. Gdzie są nasi rodzice? Chyba nie mieszkamy tu same? Wymyśliłam na poczekaniu skomplikowaną historię. Nasi rodzice się rozwiedli, ojciec wyjechał do Ameryki, a matka umieściła nas tu z bratem. Stara kobieta cmoknęła z dezaprobatą i w końcu sobie poszła.

Kilka tygodni później zdarzył się poważniejszy incydent. Do naszego domu został wezwany – być może przez tę samą kobietę – patrol policji. Nagrywałyśmy akurat kilka pieśni o RAW-ie, które miały być potem rozprowadzane wśród naszych sympatyków. Zebrało się ponad tuzin dziewcząt. Ten, kto zawiadomił policję, był pewnie zaskoczony widokiem tak dużej grupy osób, które stały na tarasie domu, rozmawiając i śmiejąc się. Zdumienie też budził fakt, że nie było z nami starszych mężczyzn ani kobiet, szokujący był również najazd młodych chłopców (akompaniowali nam na instrumentach), którzy w dodatku zostali na noc. RAWA nie przejmowała się tym specjalnie – byliśmy traktowani jak dorośli ludzie;

dziewczęta i chłopcy mieli w miarę możliwości spać w osobnych pokojach.

Nie mogliśmy opanować śmiechu, stojąc na tarasie. Myślę, że Afgańczycy, kiedy są w większej grupie, śmieją się radośniej niż jakikolwiek inny naród świata. Nim zjawili się trzej uzbrojeni funkcjonariusze w swoich brudnych szarych mundurach, była już północ i wszyscy położyliśmy się spać na dywanie. Nie mieliśmy innego wyboru, jak tylko wpuścić policjantów do środka. Zaczęli krążyć między kocami, podnosząc je i mamrocząc ze zdumienia. Ich oczom ukazywały się po kolei dziewczyny, a potem kilku młodych mężczyzn.

Powiedzieliśmy im, że to nasi krewni, którzy przyjechali w odwiedziny z Afganistanu, ale nie ulegało wątpliwości, że policjanci uważają nas za prostytutki. Zagrozili, że wylądujemy w sądzie. W końcu trzeba było sprowadzić kilka starszych kobiet z kierownictwa RAW-y, które zeznały, że są naszymi matkami, i załatwiły sprawę sowitą łapówką.

Policja była skorumpowana i nieraz trzeba było jej płacić, by zostawiła nas w spokoju. Drobne kłopoty kosztowały nas zwykle 50 rupii – funkcjonariusze nazywali to napiwkiem. Lecz gdyby policjanci, którzy zawsze starali się znaleźć tajne lokale RAW-y i zidentyfikować członkinie stowarzyszenia, uświadomili sobie, na co się natknęli, musieliby aresztować wszystkich mężczyzn, będących naszymi sympatykami, i przesłuchać ich bezzwłocznie. My, dziewczęta, też mogłyśmy trafić do więzienia, które nie było bezpiecznym miejscem dla młodych kobiet.

Czasem popełniałam głupie błędy, które mogły nas bardzo drogo kosztować. Zdarzało mi się na przykład, że zapominałam załatwić ochronę dla jakiejś członkini

RAW-y, która miała zjawić się u nas, i w rezultacie była zmuszona podjąć ryzyko i iść sama. A Kweta nie należała do bezpiecznych miast.

Lecz Soraya rozgniewała się najbardziej – nigdy wcześniej jej takiej nie widziałam – kiedy zobaczyła stosy nanu, czyli pieczonego chleba bez zakwasu, który wyrzuciłyśmy do śmieci. Smakował nam tylko świeży i ciepły, prosto ze sklepu, więc codziennie wkładałyśmy resztki z poprzedniego dnia do plastikowej torby, która stała na ziemi obok drzwi kuchennych, i wyrzucałyśmy.

Kiedy zobaczyła jej zawartość, wezwała nas do siebie. Była dosłownie czerwona z gniewu, nie podniosła jednak głosu. „Spójrzcie na to. Powinnyście się wstydzić – powiedziała. – Ludzie wokół umierają, ponieważ nie mają dość nanu, a wy zachowujecie się jak królewskie córki. To obraza dla biedaków. Pomijając już fakt, że marnujecie dwie rupie na świeży chleb, podczas gdy powinnyście oszczędzać na czym się tylko da i kupować sobie witaminy i białko, tak potrzebne w waszym wieku. Wiecie w ogóle, skąd pochodzą pieniądze, które tak bezmyślnie wydajecie? – ciągnęła. – Nie spadają z nieba, jak chyba sądzicie. Biorą się z potu naszych kobiet i z hojności naszych sympatyków na całym świecie. Ci ludzie nie mają pojęcia o waszym marnotrawstwie".

Było nam wstyd. Przez następne trzy dni Soraya zabraniała nam kupować świeży chleb. Co gorsza, siadywała z nami do posiłków i zjadała kawałki czerstwego chleba, które kazała nam wyłożyć na stół. Musiałyśmy pójść za jej przykładem. Z trudem udawało nam się zdrapać szarą pleśń z wierzchu. Potem moczyłyśmy kawałki w wodzie, by je zmiękczyć, opiekałyśmy nad palnikiem gazowym i polewałyśmy herbatą.

Wciąż czuję w ustach smak tych czerstwych, spleśniałych kęsów chleba.

*

Nauczyłam się sprawdzać, czy nikt mnie nie śledzi, poznałam wszystkie ulice wokół domu, wiedziałam, jak dotrzeć okrężną drogą do jakiegoś lokalu, do którego nigdy nie wchodziłam, jeśli tylko podejrzewałam, że ktoś za mną idzie. Starałam się też ustalić trasę ewentualnej ucieczki, ilekroć znajdowałam się w nowym budynku. Wiedziałyśmy, że nasze telefony są na podsłuchu.

Pewnego popołudnia, kiedy kierowca wiózł mnie do domu z hotelu, gdzie udzielałam zagranicznemu dziennikarzowi wywiadu, dostrzegłam za nami jakiś samochód. Domyśliłam się, że to ISI, wywiad pakistański, który, podobnie jak policja, miał za zadanie obserwować nasze działania, ustalać tożsamość, a także adresy lokali i biur. Pracownicy ISI musieli wiedzieć o moim spotkaniu z dziennikarzem i orientowali się prawdopodobnie, że jestem z RAW-y.

Poprosiłam kierowcę, by się zatrzymał. Śledzący nas wóz też podjechał do krawężnika i stanął tuż za nami. Agenci nie kryli się przed nami specjalnie. Wysiadłam i podeszłam do nich.

– Co mogę dla panów zrobić? – spytałam przez opuszczoną szybę.

Dwaj mężczyźni patrzyli na mnie, zbyt zaskoczeni, by cokolwiek powiedzieć.

– Jak zapewne wiecie, należę do RAW-y. Mamy telefon, możecie więc zadzwonić, jeśli chcecie się z nami spotkać. Nie zamierzam robić w tej chwili niczego ciekawego, jadę po prostu na targ. Nie zaprowadzę was do żadnego lokalu ani do nikogo z naszej organizacji. Proponuję więc, byście przestali mnie śledzić.

Podsunęłam im pod nos swoją kartę członkowską, na której było moje fałszywe nazwisko, ale zignorowali to i popatrzyli po sobie zakłopotani. W końcu jeden z nich spytał:

– Dlaczego ukrywacie swoje biura i posługujecie się fałszywymi nazwiskami?

– Dlatego, że Mina, założycielka naszej organizacji, została zamordowana tutaj, w Pakistanie, i dlatego, że Pakistan wspiera afgańskich fundamentalistów – odparłam.

Przyznali, że są z wywiadu, i odjechali.

Otrzymywałam coraz więcej zadań. Posłano mnie w piątek wraz z innymi członkiniami organizacji na główny bazar w mieście, gdzie miałyśmy rozdawać nasze pismo, „Przesłanie Kobiet". Nie byłam sama, pilnował mnie sympatyk organizacji, na wypadek gdybym została zauważona przez policję albo afgańskich fundamentalistów. Zakryta czadorem, krążyłam po ciemnych alejkach, wypatrując Afgańczyków, którzy mają ciemniejszą karnację niż Pakistańczycy. Widok ich twarzy na bazarze zawsze wzbudzał we mnie tęsknotę za domem.

Napotkałam człowieka, który siedział na ziemi. Przed sobą miał niewielki stos cebuli. Zaczęliśmy rozmawiać. Powiedział mi, że pochodzi z Kabulu, że z wykształcenia jest inżynierem i że stracił wszystko. Chciał kupić ode mnie magazyn, by poczytać go głośno dzieciom. Nie miał jednak dwudziestu rupii. Spytał, czy mogłabym zaczekać, aż sprzeda trochę cebuli. Dałam mu egzemplarz za darmo.

*

Ludzie, którzy szczycili się czystością religijną, przejęli we wrześniu 1996 roku moje miasto. Przymaszerowali z południa, z Kandaharu, pierwszego podbitego przez siebie miasta, gdzie mułła Omar okrył się na oczach swych zwolenników płaszczem Proroka, i przejęli władzę w Kabulu - najpierw jednak zasypali miasto gradem pocisków i rakiet, tak jak wcześniej zrobili to mudżahedini.

Talibowie zaczęli panowanie w stolicy od tego, że w środku nocy wyciągnęli z pozornie bezpiecznej siedziby ONZ Mohameda Nadżibullaha, byłego prezydenta i szefa tajnych służb KHAD. Nadżibullah został wykastrowany, a potem zastrzelony. Talibowie powiesili go na placu Ariana, wiążąc mu na szyi stalową pętlę, która wcięła się głęboko w nabrzmiałe ciało. Jego brata spotkał ten sam los. Talibowie wepchnęli powieszonym w usta, nosy i między palce u stóp banknoty, co było oznaką pogardy i poniżenia.

Dzień za dniem ogłaszali dekrety, które powołały do życia najbrutalniejsze teokratyczne państwo świata. Kobietom nakazano nosić poza domem burki, nie wolno im było też pokazywać się na balkonach swych domów. Mogły wychodzić na ulice tylko w towarzystwie mahrama, bliskiego krewnego, zabroniono im także pracy. W czasie ramadanu, miesiąca postu, zakazywano im nawet pokazywania się na ulicach.

Kobiety, które były chore, mogły iść tylko do lekarek. Dziewczętom nie wolno było uczęszczać do szkoły, które według talibów były bramą piekieł, pierwszym krokiem na drodze do prostytucji. Kobietom zabroniono się śmiać, czy nawet głośno rozmawiać, gdyż mogło to podniecić mężczyzn. Zakazano noszenia butów na wysokich obcasach, gdyż ich stukot też był uważany za zbyt prowokujący, tak jak makijażu i malowania paznokci. Kobiety, które nie stosowały się do tych przepisów, były bite, chłostane, a nawet kamienowane na śmierć.

Zamknięto hammamy. Mężczyznom nakazano zapuszczać brody. Muzyka i telewizja zostały zabronione, tak jak wszelkie zabawy, nie wyłączając puszczania latawców. Czy może być coś bardziej niewinnego niż puszczanie latawca? – zadawałam sobie pytanie.

Uważałam, że to wszystko jest dziełem bandy przestępców, którzy nie umieją się nawet podpisać.

Niebawem dowiedziałyśmy się, że talibowie umieścili wszystkie członkinie RAW-y na liście śmierci. Czytałam artykuły w gazecie, gdzie ich przywódcy nazywali nas niewiernymi, szpiegami CIA i prostytutkami, które chcą wyjść na ulicę i oddawać się mężczyznom. Przysięgli, że jeśli znajdą jakąś członkinię RAW-y, to dokonają jej egzekucji bez sądu, ponieważ wszystkie musimy zniknąć z powierzchni ziemi. Czarna lista, która funkcjonowała za panowania mudżahedinów, nabrała w rękach talibów mocy prawnej.

Wiedziałyśmy, że nie możemy liczyć na żadną ochronę ze strony władz pakistańskich. Premier Benazir Bhutto pogratulowała talibom zdobycia Kabulu i oświadczyła, że jeśli uda im się zjednoczyć Afganistan, będzie to niezwykle korzystne.

*

Im gorsza była sytuacja w Afganistanie, tym większe znaczenie miała dla mnie moja praca w RAW-ie. Stała się najważniejszą częścią mojego życia, ważniejszą niż cokolwiek czy ktokolwiek, ważniejszą nawet od babki.

Podziwiałam poświęcenie Miriam, jednej z moich przyjaciółek, które okazała w dniu swego zamążpójścia. Zjawiła się na uroczystości prosto z pracy, w codziennym ubraniu, wzięła ślub, a potem zasiadła z nami i teściową do zwykłego posiłku składającego się z kurczaka i ryżu. Ledwie zaczęła jeść, gdy zadzwonił telefon. Ktoś z RAW-y prosił, by wyjechała natychmiast do innego miasta, oddalonego o trzy godziny drogi. Miriam pożegnała się bezzwłocznie z mężem, mówiąc, że wróci za dwa dni, i wyszła. Nie skarżył się, a teściowa Miriam zachowała milczenie, lecz minę miała lodowatą. Gdy znów zasiedliśmy do posiłku, postanowiła wyładować na nas swe niezadowolenie.

– Dziwne, prawda? – zauważyła z chłodnym uśmiechem. – Panna młoda musi opuścić męża w dniu swego ślubu. Wydaje mi się, że RAWA odznacza się szczególnymi obyczajami, niespotykanymi nigdzie na świecie, ani na Wschodzie, ani na Zachodzie. Nie mam pojęcia, skąd się biorą i jaka filozofia im przyświeca.

Wymieniłam spojrzenia z przyjaciółkami. Zorientowałam się po ich oczach, że podobnie jak ja są rozbawione, starały się jednak powstrzymać od śmiechu.

Kilka miesięcy później teściowa Miriam znów zabrała głos.

– Tamten wieczór nie miał być może dla was większego znaczenia, ale dla mnie był bardzo ważny – oświadczyła.

Wymieniłyśmy spojrzenia, tak jak wtedy. I milczałyśmy.

Lecz kobieta wyraźnie chciała nas sprowokować do zabrania głosu.

– Jest godne pochwały należeć do tej organizacji, ale nigdy nie przypuszczałam, że polityczne zaangażowanie oznacza, iż panna młoda może opuścić męża w dniu ślubu, nie pytając go nawet o pozwolenie.

Nie mogłam dłużej milczeć.

– Nie powinna pani mówić takich rzeczy – powiedziałam. – Mamy dla pani wiele szacunku, ale Miriam miała pracę do wykonania. Nie wyjechała wtedy dla własnej przyjemności. Zamiast ją krytykować, powinna pani być z niej dumna.

Broniąc Miriam, broniłam też siebie i chciałam wierzyć, że na jej miejscu postąpiłabym tak samo. Prawdę mówiąc, nigdy nie miałam prywatnego życia i nie żałuję tego. Nie dostrzegam w sobie nic, co mogłoby przyciągnąć wzrok i uwagę jakiegoś mężczyzny. Nigdy nie marzyłam, by patrzył na mnie z zainteresowaniem, nigdy też się nie zakochałam. Nie martwię się, że jak dotąd nie zaznałam fizycznej rozkoszy z mężczyzną. Nigdy nie miało to dla mnie znaczenia, brakowało mi zawsze czasu, by o tym pomyśleć.

Gdy zapanuje w moim kraju pokój i demokracja, która nakaże mężczyznom szanować kobiety, będę mogła pomyśleć o małżeństwie. Jest dla mnie bardzo ważne, by mężczyzna, z którym zamierzam dzielić życie, szanował mnie i to, co robię. Za przykład służy mi ojciec, ponieważ szanował matkę i jej pracę.

CZĘŚĆ CZWARTA

Milczące miasto

ROZDZIAŁ XII

Nie podobał mi się ani sklep, ani jego właściciel, ale ponad wszystko nienawidziłam stroju, który byłam zmuszona kupić. Zjawiłam się na bazarze po burkę i nie zamierzałam siedzieć długo w sklepie, który prezentował je na wystawie niczym ostatni krzyk mody. Pomyślałam, że przypominają odrażające duchy pogrążone we śnie. Dostrzegłam niebieską – był to najpopularniejszy kolor – która wyglądała na mój rozmiar, i włożyłam ją na koszulę i dżinsy. Wykonano ją z taniego poliestru.

– Nic w tym nie widzę, jak wyjdę na ulicę, to się przewrócę – poskarżyłam się sklepikarzowi, walcząc z ciężkim materiałem. Miałam go na sobie od kilku chwil, a już zdążyłam się spocić w czerwcowym upale.

– Proszę się nie martwić, wystarczy trochę poćwiczyć i wszystko będzie dobrze – odparł.

Wyswobodziłam się z burki, wręczyłam mężczyźnie 500 rupii – zawijał już zakupiony materiał i pakował do plastikowej torby – i wyszłam czym prędzej na ulicę. Krew się we mnie burzyła na myśl, że zapłaciłam za coś, czego nienawidzę. Miałam ochotę podpalić ten sklep. W rzeczywistości nie wolno mi było nawet wspomnieć właścicielowi, co myślę o jego towarze; mogłam sprowokować go do kłótni i przyciągnąć uwagę jakiegoś patrolu policji.

Nie miałam zamiaru ćwiczyć chodzenia w burce, jak zalecał sklepikarz. Wiedziałam, że wkrótce będę miała mnóstwo okazji, by się do niej przyzwyczaić.

Był czerwiec 1997 i po trzech latach, jakie spędziłam w RAW-ie, zadecydowano wreszcie, by wysłać mnie do kraju. Miałam za zadanie ustalić, jak można pomóc kilku członkiniom organizacji, które napisały do RAW-y w Pakistanie. Pragnęły omówić z nami różne problemy. Bały się wyjaśniać je szczegółowo w listach, które przemycili przez granicę nasi sympatycy. Tak narodziła się moja szansa powrotu do kraju.

Miałam się także zorientować, czy da się sprowadzić z Afganistanu kobiety, by mogły wziąć udział w ulicznej demonstracji, która miała się wkrótce odbyć w Pakistanie – chodziło o przybycie z Kabulu od tysiąca do dwóch tysięcy kobiet, tak aby nie zauważyli tego talibowie.

Miałam podróżować z Abidą, przyjaciółką z RAW-y, która była o kilka lat ode mnie starsza i która odwiedzała już wcześniej Kabul, oraz Dżawidem, naszym sympatykiem, mężczyzną w średnim wieku. Miał chodzić za nami jak cień i być naszym mahramem, czyli krewnym, który z nakazu talibów musi towarzyszyć kobiecie na ulicy.

Dżawid zapuszczał już od tygodni brodę, przygotowując się do tej wyprawy. Kierowca miał nas dowieźć do granicy. Prócz moich towarzyszy podróży jeszcze tylko sześć osób wiedziało o tej misji.

Z nienawiścią pakowałam burkę do torby podróżnej. W oczach talibów, którzy mieli wkrótce świętować pierwszą rocznicę zdobycia Kabulu, stała na straży mojej godności i honoru. Wkładając ją, przestrzegałam zasady, że kobieta podlega hedżab, wykluczeniu ze społeczeństwa.

Potem talibowie nie poprzestali na poleceniu, by kobiety nosiły burki. Nakazali, żeby kobiety pochodzenia hinduskiego nosiły burki koloru żółtego. W Afganistanie kolor ten symbolizuje chorobę i nienawiść, a dla talibów wszyscy przedstawiciele mniejszości hinduskiej są niewiernymi. Kobiety musiały nosić żółte odzienie, tak jak Żydzi żółte gwiazdy Dawida w czasie wojny.

Nie spodziewałam się, że podczas pobytu w Kabulu zobaczę coś pięknego albo radosnego.

*

Kabul był cmentarzyskiem. Rzeka, od której miasto wzięło swą nazwę, była brązowa i zimna, a jej nurtem płynęły śmieci i odpadki. Kiedy nasz mikrobus zatrzymał się wieczorem na dworcu autobusowym w centrum miasta, nie mogłam powstrzymać łez. Było już ciemno, a budynki – z których większość zamieniła się w puste skorupy – wyglądały jak nagrobki. Pomimo tego obrazu zniszczenia zrozumiałam doskonale, co Abida ma na myśli, gdy szepnęła mi na ucho: „Och, mój ukochany Kabulu"; skinęłam głową.

Gdy tylko wysiedliśmy z wozu, obstąpił nas tłum żebraków proszących o jałmużnę. Nigdy jeszcze nie widziałam ich tylu naraz. Przez łzy ujrzałam małego, mniej więcej dziesięcioletniego chłopca, który miał amputowaną w połowie ramienia prawą rękę. Domyśliłam się, że urwała ją mina, którą chciał zapewne podnieść, jedna z tysięcy, jakie pozostały po wojnie z Rosjanami. Wyciągając lewą dłoń, zaśpiewał mi piosenkę o ziemniakach i mięsie – mówiła o tym, że zawsze jadł tylko czerstwy, twardy chleb i że nigdy nie widział koloru ziemniaków ani mięsa, nigdy nie poznał ich smaku. Melodia wpadała w ucho, nie miałam jednak pieniędzy, by mu dać.

Oddaliliśmy się zaledwie o kilka kroków od grupy żebraków, gdy zatrzymała nas jakaś kobieta – powłócząca nogami, przygarbiona i słaba. Musiała być bardzo stara. Wkrótce jednak domyśliliśmy się, że jest na usługach talibskiej policji religijnej, nazywanej absurdalnie Amar Bil Maroof Wa Nahi An al-Mankar, czyli Wydział Propagowania Cnoty i Zapobiegania Występkowi.

Ostrzegano mnie w Pakistanie przed tymi kobietami. Pomagały talibom utrzymać jeszcze ściślejszą kontrolę nad ludźmi chodzącymi po ulicy. Łatwiej było starym kobietom sprawdzać, co inne skrywają pod burką.

– Pokażcie torby – nakazała.

Zrobiło mi się niedobrze ze strachu, nie mogłam wydusić z siebie słowa. Pomyślałam nie tylko o publikacjach w mojej torbie, ale i o znacznie ważniejszych listach, które miałam schowane w woreczku na brzuchu. Gdyby stara kobieta znalazła któryś z tych papierów, nasza misja dobiegłaby końca, jeszcze zanim się na dobre zaczęła.

Donosicielka była analfabetką i nie mogłaby zrozumieć dokumentów, zorientowałaby się jednak z fotografii, że to zakazany materiał, i wkrótce doniosła na nas. Nie chciałam nawet myśleć o losie, jaki nas czekał w celi talibskiego więzienia.

Usłyszałam, jak Abida zwraca się do niej wesoło. Mówiła w języku pusztu, tak jak kobieta:

– Matko, właśnie wysiedliśmy z samochodu po bardzo długiej podróży. Jesteśmy tylko młodymi dziewczynami, odczuwamy zmęczenie, a moja przyjaciółka źle się czuje. Nie mamy nic do pokazania, w torbach jest tylko ubranie.

Dzięki Abidzie stara kobieta przestała się nami interesować, my zaś odeszliśmy powolnym krokiem, choć kusiło nas, żeby rzucić się do ucieczki. Po chwili złapaliśmy taksówkę i wyruszyliśmy do tajnego lokalu, gdzie mieliśmy pozostać przez tydzień. Nie powiedziano mi, do kogo należy, a ja o to nie pytałam.

Kiedy przybyłam na miejsce, nie zdążyłam nawet ściągnąć burki, gdy usłyszałam głośny krzyk i znalazłam się w czyichś objęciach. Trwało to długą chwilę, w końcu zaczęłam się niemal dusić. Minęła chyba wieczność, nim się uwolniłam i zdjęłam wreszcie burkę, którą ze wstrętem odsunęłam nogą na bok.

Poznałam Zebę, jedną z naszych najodważniejszych kobiet. Spotkałam ją kilka razy, kiedy przyjeżdżała do Pakistanu. To właśnie ona podejmowała wraz z innymi ogromne ryzyko i filmowała najokrutniejsze zbrodnie popełniane przez talibów, w tym publiczne egzekucje.

Nigdy nie zapomnę sceny, w której kobieta w jasnoniebieskiej burce, takiej jak moja, klęczy na dawnym stadionie piłkarskim obok śladów po bramce, a jakiś talib w turbanie przystawia jej lufę kałasznikowa do głowy. Próbuje wstać, ale mężczyzna przyciska ją do ziemi. A potem strzał, który wzbija małą fontannę piachu, kiedy kula przeszywa burkę i czaszkę kobiety, matki siedmiorga dzieci. Talibowie oskarżyli ją o zabicie męża podczas rodzinnej kłótni. Rodzina męża jej wybaczyła, ale władze postanowiły dokonać egzekucji.

Kolejna egzekucja utrwalona na taśmie filmowej: pośrodku wielkiego tłumu dźwig, którego talibowie użyli, by powiesić na poboczu drogi dwóch mężczyzn oskarżonych o współpracę z siłami antytalibskimi. Zawiązano im oczy, skrępowano ręce na plecach i zarzucono pętle na szyje. Umarli niemal natychmiast, kiedy dźwig uniósł ich ciała w powietrze. Wisieli cały dzień, a ich stopy kołysały się na wysokości głów przechodniów.

Na głównym stadionie Kabulu Zeba filmowała publiczne kasas, czyli usankcjonowane religijnie podrzynanie gardła. Pewien mężczyzna oskarżony o zamordowanie dwóch ludzi musiał klęknąć na ziemi. Oczy miał przewiązane opaską. Dano mu dziesięć minut na modlitwę, a potem skrępowano z tyłu dłonie. Następnie zbliżył się brat jednej z ofiar, trzymając w dłoni nóż, i przeciągnął nim po gardle skazańca.

Uświadomiłam sobie, że nie mam pojęcia o niebezpieczeństwach, jakie grożą Zebie oraz jej towarzyszom. Ich życie i moje były od siebie odległe jak ziemia i niebo.

– Najwyższy czas! Już myślałam, że nigdy nie przyjedziecie! – zawołała z uśmiechem. Była dopiero po trzydziestce, ale miała tyle zmarszczek na twarzy i tyle siwizny we włosach, że wyglądała dwadzieścia lat starzej. Gdy jednak spytałam, jak się czuje, odparła tylko: – Świetnie, świetnie.

Przesiedziałam do trzeciej nad ranem, wypijając niezliczone filiżanki herbaty i rozmawiając z Zebą i jej towarzyszkami. W końcu się podniosła.

– No dobrze, czas do łóżka. Musisz się wyspać, za dwa dni ma się odbyć na stadionie publiczna egzekucja obcięcia rąk, chciałabym, żebyś poszła ze mną i pomogła mi ją sfilmować.

„Łóżko" oznaczało dywan. Byłam zbyt zmęczona, by rozmyślać o tym, co mnie czeka, i natychmiast zasnęłam.

*

Kiedy kilka godzin później zbudziła mnie krzątanina moich przyjaciółek, w pierwszej chwili pomyślałam, że jestem w Pakistanie. Potem uświadomiłam sobie, gdzie się znajduję, i poczułam zadowolenie, że wróciłam do kraju. Gdy wyszłam na podwórze umyć dłonie pod kranem i zobaczyłam Kabul w świetle dnia, nawet góry za miastem – które wydawały mi się w dzieciństwie tak spokojne – wyglądały smutno. Lecz fakt, że znów je widzę, po tylu zmianach, jakie zaszły w moim życiu, dodał mi sił.

Najsmutniejsze było jednak to, że na niebie nie było ani jednego latawca. Talibowie zdeptali jedną z najstarszych tradycji mego kraju.

Weszłam z powrotem do domu i zauważyłam, że okna zakryte są zasłonami, które od strony ulicy miały kolor czarny, ale od wewnątrz mieniły się wszelkimi barwami. Talibowie zarządzili, że w domach, gdzie mieszkają kobiety, zawsze muszą w oknach wisieć czarne zasłony, tak aby nikt z zewnątrz nie mógł zobaczyć mieszkanek. Jednak ludzie, z którymi przebywałam pod jednym dachem, zrobili to po swojemu.

Znów musiałam włożyć burkę. Nie byłam do niej przyzwyczajona, musiałam więc trzymać Abidę za rękę, kiedy Dżawid oprowadzał nas po mieście.

Na potrzeby raportu, jaki musiałyśmy sporządzić, miałam się spotkać z kobietą, której nastoletnia córka została zgwałcona przez talibskiego dowódcę na ulicy, a pewna członkini RAW-y znała jednego z jej krewnych.

Nie odeszliśmy zbyt daleko od domu, kiedy usłyszałam tuż obok jakiś świst i sekundę później poczułam bolesne pieczenie na dłoni. Pomyślałam, że ukąsił mnie wąż, lecz gdy się odwróciłam, ujrzałam taliba z batem w ręku.

– Prostytutka! – wrzasnął na mnie, opluwając sobie przy tym tłustą brodę. – Zakryj się i jazda stąd! Wracaj do domu!

Nosił czarny turban, a jego spojrzenie wydało mi się dziwne. Dopiero po chwili dostrzegłam, że jest umalowany surmą, gęstym czarnym cieniem do oczu, który nadawał mu groźny wygląd.

Abida przeprosiła w moim imieniu i szybko odciągnęła mnie na bok. Potem wyjaśniła, że pewnie wysunęłam dłoń spod burki, kiedy szłyśmy ulicą.

– Proszę, zachowaj ostrożność – upomniała. – Nie możemy zwracać na siebie uwagi.

Wreszcie zapukałyśmy do drzwi kobiety, której córkę zgwałcono. Kiedy nam otworzyła, wyjaśniłam, że jesteśmy z RAW-y i że chcemy jej pomóc, chociażby dobrym słowem. Była mała i słaba, ale siła jej reakcji zupełnie mnie zaskoczyła.

– Jeśli jesteście z RAW-y, to lepiej od razu odejdźcie – warknęła.

– Dlaczego? Chcemy tylko pomóc – nalegałam.

– Walczycie podobno o demokrację i prawa kobiet, ale wasze metody są całkowicie błędne. Jeśli macie dla mnie broń, to możecie wejść. To wszystko, czego potrzebuję – broni. Wiem, kto zgwałcił moją córkę, to ważny dowódca, nie mogę jej inaczej pomścić.

Przyszło mi do głowy, że gdybym mogła zdjąć burkę, ta kobieta zobaczyłaby moje oczy i zrozumiała, jak bardzo pragnę jej pomóc. Ale czuła taki ból, że nie mogłam znaleźć słów. Miałam tylko nadzieję, że z czasem zgodzi się z nami porozmawiać.

Tysiące kobiet cierpiało taki sam los jak jej córka. Na obszarach środkowego Afganistanu, zamieszkanych przez plemię Hazarów, talibowie porywali młode dziewczęta i robili z nich swoje kaniz, czyli służące, a potem oddawali żołnierzom, którzy się z nimi żenili. Wyznawali zdumiewające przekonania – uważali, że mogą zgwałcić kobietę i zmusić ją do małżeństwa, ale kobiety podejrzane o cudzołóstwo kamienowali.

Żadne inne plemię nie wycierpiało tyle z rąk talibów co Hazarowie. Na kilka miesięcy przed moim przyjazdem do Kabulu, we wrześniu 1996, talibowie dokonali masakry Hazarów w wiosce Kezelabad na północy Afganistanu: ośmioletniemu chłopcu ucięto głowę, a dwóm dwunastolatkom połamano kamieniami ręce.

*

W czasie mego pobytu w Kabulu wielokrotnie czułam ogromne przygnębienie. Gdy odwiedziłam wraz z Dżawidem i Abidą szpital, by się przekonać, czy można tam w ogóle robić zdjęcia, ujrzałam dziesiątki pacjentów, starych i młodych, którzy leżeli na brudnej betonowej podłodze korytarzy, pozbawieni jakiejkolwiek opieki. Byłam pewna, że ojciec wstydziłby się za swoich kolegów z uniwersytetu.

Mnóstwo dzieci zdradzało objawy niedożywienia. Skórę na twarzach miały naciągniętą, ramiona chude jak patyki. Czytałam, że rodzice sprzedają swoje dzieci na ulicach, bo nie mogą ich wyżywić, albo po prostu oddają je komuś, kto jest w stanie zapewnić im lepsze życie. Toalety szpitalne przedstawiały koszmarny widok, cała podłoga była pokryta moczem i ekskrementami. W szpitalu przebywało więcej talibów niż lekarzy. Widzieliśmy, jak patrolują korytarze w swoich czarnych turbanach, z batami w dłoni, przeciskając się między chorymi.

Kobiety cierpiały bardziej niż mężczyźni, ponieważ talibowie nie pozwalali im chodzić do lekarzy mężczyzn. Twierdzili, że jeśli kobieta jest chora, to lepiej, żeby umarła, niż miała pójść do mężczyzny. Jeśli nie pozwoliła dotknąć się doktorowi, mogła być pewna, że pójdzie do nieba. W przeciwnym razie była skazana na piekło. Oczywiście w Koranie nie ma ani jednego słowa, które by usprawiedliwiało takie przekonanie.

Jedyna kobieta, z którą udało mi się porozmawiać w szpitalu, powiedziała mi, że nie stać jej na lekarstwa, ponieważ nie wolno jej pracować, i że czeka od tygodni na lekarkę, jedną z nielicznych w Kabulu. Wielu lekarzy, zarówno mężczyzn, jak i kobiet, opuściło Afganistan za okupacji radzieckiej, by poszukać lepszego życia gdzie indziej, w Pakistanie, Iranie czy na Zachodzie. Inni uciekli przed mudżahedinami i talibami. Nie mogły ich zastąpić młode lekarki, gdyż talibowie zakazali kobietom studiować medycynę tak jak wszystko inne.

W Pakistanie spotkałam kobietę chirurga, która wyjechała z Kabulu. Powiedziała mi, że za mudżahedinów była zmuszona z braku elektryczności operować przy świecach, kiedy miasto było zbombardowane, i że jej dyżury trwały całą dobę. Spodziewała się wtedy dziecka, które straciła, spędzając tyle godzin na stojąco w sali operacyjnej. Pomimo swego poświęcenia odczuwała wstyd, że opuściła Afganistan.

Abida udawała, że ma kłopoty z nerkami, i zdołała porozmawiać z jedną z nielicznych pielęgniarek, które tam pracowały. Zadała tylko kilka pytań, potem kobieta nabrała podejrzeń. Robienie zdjęć w szpitalu byłoby ogromnym ryzykiem.

Kilka dni później przekonałam się, że talibowie nie wahali się używać batów, nawet w szpitalu, wobec ludzi chorych. Kiedy wyszłam na zewnątrz, zobaczyłam kobietę siedzącą na środku gwarnej ulicy. Otaczał ją tłumek gapiów. Próbowała popełnić samobójstwo, rzucając się pod koła pojazdów. „Pozwólcie mi umrzeć, pozwólcie mi umrzeć", powtarzała. Miała szczęście, że nie było w pobliżu talibów, bo z pewnością pobiliby ją na środku ulicy.

Potem, kiedy udało mi się z nią porozmawiać w spokojniejszym miejscu, wyznała, że jej matka cierpi na astmę i poszła do szpitala. Wkrótce po przybyciu na miejsce dostała ataku i zdjęła burkę, by złapać oddech. Do sali, gdzie leżała, wpadł jakiś talib i wymierzył matce czterdzieści batów na oczach bezradnej córki. Pielęgniarki nie zrobiły nic, by go powstrzymać.

Córka, która miała dwadzieścia lat, wyjaśniła, dlaczego zamierzała popełnić samobójstwo: „Jeśli nie mogę pomóc chorej matce, to po co mam żyć?".

Pomyślałam o babce, o atakach astmy, na którą cierpiała, o tym, jak sama bym zareagowała, będąc na miejscu tej młodej kobiety. Był to jeden z najgorszych momentów mojego pobytu w Kabulu. Poczułam, jak opuszcza mnie odwaga. Burka zabijała kobiety nie tylko psychicznie, ale i fizycznie.

Dostrzegałam coraz więcej skutków, jakie wojna i talibowie wywołali w psychice ludzkiej. Idąc ulicą, nieraz byłam świadkiem dziwnych zachowań. Niektórzy mężczyźni chodzili w kółko z tępym wyrazem twarzy. Widziałam jednego, który bezustannie mówił do siebie na głos, nie robiąc przerw dla zaczerpnięcia oddechu. Inny wybuchał szalonym śmiechem. Nie ulegało wątpliwości, że brakuje wykwalifikowanych psychiatrów, którzy mogliby się zająć tymi schorzeniami.

Jedyną muzyką, jaką słyszałam na ulicach Kabulu, było zawodzenie małych żebraków. W dzieciństwie często słyszałam muzykę dochodzącą ze sklepów i samochodów. Teraz pozwalano ludziom puszczać w samochodach wyłącznie kasety z pieśniami religijnymi bez podkładu muzycznego; ciągnęły się bez końca, śpiewane jednym głosem pozbawionym jakiejkolwiek melodii.

Był to również dominujący, hipnotyczny dźwięk płynący z „Głosu Szarijatu", talibskiej rozgłośni, w której oczywiście nie pozwolono nigdy przemówić żadnej kobiecie. Raz tylko nadano audycję, w czasie której słuchacze – tylko mężczyźni – mogli dzwonić i zadawać pytania wyłącznie natury religijnej gremium złożonemu z mułłów. Była to ze strony talibów niezwykle śmiała innowacja. Program nie przebiegał jednak dokładnie tak, jak zaplanowano. Pewien słuchacz, mieszkaniec małej wioski, dopytywał się, jak mógłby rozstrzygnąć, który z dwóch mułłów w jego wiosce jest ważniejszy. Odpowiedź: „Ten, który zna lepiej Koran", nie zadowoliła go. Ani też odpowiedź: „Ten, który jest lepszym muzułmaninem". Nadal się dopytywał, jak powinien rozróżniać obu duchownych, aż w końcu jeden z tak zwanych ekspertów doradził mu, żeby się zorientował, który ma piękniejszą żonę. Następnie przerwano połączenie. Nigdy w życiu nie słuchałam równie idiotycznego i absurdalnego programu.

Zeba wyznała mi, że słucha kaset z normalną muzyką tylko przed snem, jak najciszej, by sąsiedzi nie donieśli na nią do władz.

Dawniej we wszystkich sklepach wisiały zdjęcia najsłynniejszych piosenkarzy, ale teraz wszelkie fotografie były po prostu zakazane, tak jak telewizja. W kilku jednak domach, które odwiedziłam, ludzie mieli nie tylko nielegalne odbiorniki, ale także produkowane domowym sposobem anteny satelitarne na podwórzach, dzięki którym łapano zagraniczne stacje. Gdy ktoś pukał do drzwi, sprzęt zakrywano płachtami. Zazwyczaj udawało się namierzyć tylko jakiś pakistański czy indyjski kanał, ale otwierało to furtkę do nowego świata. Najbardziej sprawne anteny wyłapywały nawet CNN i BBC World. Za darmo, oczywiście.

Talibowie regularnie nachodzili domy, których mieszkańcy byli podejrzani o posiadanie telewizji. Ale nie zawsze byli tak nieprzejednani, jak się powszechnie sądziło. Pewną rodzinę, która została przyłapana na oglądaniu kasety wideo z filmem indyjskim, wygnano na ulicę i poddano publicznej chłoście. Talibowie krzyczeli, że oglądanie takich filmów jest niezgodne z zasadami islamu. Potem zostawili nieszczęśników na zewnątrz i znów weszli do domu. Kiedy rodzina odważyła się wrócić do siebie, zastała talibów siedzących wokół telewizora – oglądali i komentowali film. Potem wzięli od rodziny łapówkę i nie aresztowali jej.

ROZDZIAŁ XIII

Pewnego ranka w lokalu zjawiła się Zeba.

– Chodź, jesteś mi potrzebna – oświadczyła. – Musimy sfilmować obcinanie rąk.

Poprzedniego dnia „Głos Szarijatu" doniósł, że na głównym stadionie miasta odbędzie się egzekucja – obcięcie dłoni złodziejowi – i namawiał ludzi, by tłumnie stawili się na miejscu kaźni. Wraz z kilkoma członkiniami RAW-y z Kabulu podjechałyśmy na niegdysiejszy – talibowie zakazali wszelkich sportów – stadion piłkarski.

Wybraliśmy się własnymi samochodami. Przepisy nakazywały, by mężczyźni i kobiety podróżowali innymi autobusami, a my nie chcieliśmy się pogubić w tłumie pasażerów. Przyjaciółki z RAW-y opowiedziały mi o mężu i żonie, których rozdzielono w drodze na czyjś ślub. Po kilku godzinach odnaleźli się w końcu i zaczęli kłótnię na ulicy. Potem jednak dostrzegli komiczną stronę wydarzenia i postanowili ze względu na późną porę machnąć ręką na uroczystość i wrócić do domu. W tym kraju, jak zauważyły moje przyjaciółki, człowiek nie może nawet swobodnie dotrzeć na wesele.

Uśmiechnęłam się, ale nie było mi wesoło. Nie dostrzegałam niczego zabawnego w ówczesnym życiu w Kabulu, ale rozumiałam nastawienie moich przyjaciółek, ponieważ przebywały w tym mieście dzień i noc. Musiały się śmiać. Nie mogłam jednak opędzić się od myśli, że zakaz opuszczania domów bez mahrama jest dla wielu wdów wojennych prawdziwą tragedią. Oznaczał, że nie wolno im wychodzić i że nie mają możliwości zarobkowania, pomijając żebraninę na ulicy z narażeniem się na ryzyko chłosty albo prostytucję.

W pobliżu stadionu dostrzegliśmy patrole talibów, którzy nakazywali sklepikarzom zwijać interes i iść na egzekucję. Ze zdumieniem zobaczyłam kobiety prowadzące ze sobą dzieci, lecz Zeba mi to wyjaśniła:

– Chcą, by ich dzieci uświadomiły sobie, co je czeka, jeśli kiedykolwiek dopuszczą się kradzieży. Uważają, że to może być dla nich dobra nauka.

Kiedy dotarliśmy na stadion, czekało już na nim w ciszy kilka tysięcy ludzi. Skierowałyśmy się do sektora dla kobiet, który znajdował się naprzeciwko miejsc dla mężczyzn. Na boisku wciąż stały bramki. Dowiedziałam się, że talibowie wieszają czasem na nich skazańców.

Na boisko wjechał konwój dżipów, z których wysypali się mężczyźni w turbanach, niektórzy uzbrojeni. Jednego poprowadzono na środek i kazano mu położyć się na brzuchu z ramionami rozpostartymi na boki na kształt krzyża. Naliczyłam co najmniej pięciu talibów przytrzymujących skazańca; jeden z nich związał mu stopy, drugi chwycił za włosy i szarpnął do góry głowę.

Do tłumu przemówił przez głośnik mułła. Opowiadał

o grzechu i dniu Sądu Ostatecznego. „Ten człowiek zasłużył na karę, jaka go spotka – dowodził. – Wszyscy, którzy kradną, tak właśnie będą karani".

W tym czasie jacyś ludzie, zapewne krewni skazańca, błagali o litość dla niego, zostali jednak wychłostani przez talibów.

Dostrzegłam z boku jakąś postać z głowę obwiązaną białym szalem. Widać było tylko oczy.

– To lekarz – wyjaśniła szeptem Zeba. – Boi się, że jeśli potem ludzie go rozpoznają, to go zabiją za współpracę z talibami.

Skupiłyśmy się wokół Zeby, żeby zasłonić ją przed tłumem, a ona zaczęła robić zdjęcia małym ukrytym aparatem. Starała się nie marnować kliszy, ponieważ nie mogła ryzykować wymiany filmu. Mogło to zwrócić na nas uwagę.

Talib w czarnym turbanie wyciągnął nóż, uklęknął na jedno kolano u boku skazańca i zaczął mu odcinać prawy nadgarstek.

Na płacheć ziemi trysnęła krew.

Nie mogłam już dłużej patrzeć. Poczułam nagle ból w dłoni, jakby ktoś przejechał po niej zimnym ostrzem. Zrobiło mi się słabo i usiadłam pośrodku tłumu kobiet, które sprawiały wrażenie skamieniałych.

Kilka z nich zaczęło wznosić okrzyki przeciwko talibom i lekarzowi, który wiązał mężczyźnie nadgarstki, by zatamować krew. „Pewnego dnia wszyscy będziecie leżeć na miejscu tego człowieka" – usłyszałam jedną z kobiet. „Niechaj Allah sprawi, by spotkało was to samo" – dodała inna. Nie mówiły jednak zbyt głośno.

Dzieci wokół mnie śmiały się i klaskały, dla nich to była

rozrywka, taka sama jak mecze piłkarskie, które oglądały w telewizji przed nadejściem talibów. Nie trzeba też było za nią płacić. Próbowałam wyobrazić sobie przyszłość tych dzieci. Wiedziałam, że staną się bezlitosnymi przestępcami, jeśli nic się w kraju nie zmieni.

To dziwne, pomyślałam, że tym dzieciom wolno się śmiać podczas takiego widowiska. Mnie, jako kobiecie, nie wolno było tego robić w miejscach publicznych. Talibowie uważali, że roześmiana czy mówiąca głośno kobieta popełnia grzech, jakim jest podniecanie mężczyzn.

Później, po kolejnej egzekucji, Zeba zrobiła zdjęcie chłopcu, który uśmiechnięty od ucha do ucha podnosił do góry obcięte dłonie. Zdjął je z drzewa, gdzie zawiesili je talibowie. Chłopiec bawił się z kolegą – rzucali sobie zdobycz przez całą szerokość ulicy, zaśmiewając się przy tym do rozpuku.

Wciąż mam to zdjęcie. Podziwiam Zebę, że przyszło jej do głowy skierować obiektyw na tego chłopca – znalazła kogoś, kto był tak dumny i szczęśliwy z pozowania, że nigdy by jej nie zadenuncjował. I współczułam chłopcu, że z taką dumą pozuje do fotografii i nie rozumie potworności swego czynu.

Przytłaczała mnie bezradność. Pragnęłam podejść do skazańca i jakoś mu pomóc, nie mogłam jednak nic zrobić.

*

Kobiety protestowały cicho podczas egzekucji, ale przynajmniej odważyły się na sprzeciw wobec talibów.

Najodważniej jednak zachowała się pewna kobieta,

którą spotkałam na targowisku w centrum Kabulu, gdzie spacerowałam w towarzystwie sympatyka RAW-y, udającego mojego mahrama. Stała przed straganem z warzywami i właśnie płaciła za zakupy. Zobaczyłam, jak podjeżdża patrol talibów w dżipie z powiewającą białą flagą.

Pojawienie się tych patroli wywoływało często panikę. Kobiety bez opieki mahrama zwracały się do zupełnie obcych mężczyzn i oferowały zapłatę, byle tylko zgodzili się udawać, że jej towarzyszą. „Proszę, bądź moim bratem", błagały. Było to dość niebezpieczne – kobiety przyłapane na oszustwie poddawano chłoście, podobnie jak „brata".

Jeden z talibów, jeszcze niemal nastolatek, zeskoczył z dżipa, podszedł do kobiety z batem w dłoni i smagnął ją w ramię. Kobieta, która nie zauważyła patrolu, złamała prawo, według którego kobietom nie wolno mieć jakiegokolwiek kontaktu ze sprzedawcą, a wszystko za nią powinien kupować mahram.

Nie okazując najmniejszego strachu, kobieta z furią zwróciła się do taliba: „Mam tyle lat, że mogłabym być twoją matką, a ty mnie chłoszczesz? Nie wstyd ci?! – krzyknęła na niego. Była tak rozwścieczona, że nawet ośmieliła się ściągnąć burkę i rzucić ją pod nogi chłopaka. – Masz, może sam ją włożysz?".

Była wysoka i silna. Przypuszczałam, że jest po czterdziestce. Jej prześladowca był tak zaskoczony, że nie wiedział, jak zareagować. Nikt nie przeszkolił go na wypadek takiego oporu ze strony kobiety. Nauczono go tylko, jak smagać ją batem. Wycofał się chyłkiem. Odniósłszy zwycięstwo, kobieta podniosła burkę, włożyła ją i dalej spokojnie robiła zakupy. Nie mogłam nadziwić się jej odwadze.

Dostrzegałam też inne, mniej widoczne oznaki buntu,

które cieszyły moje serce podczas pobytu w Kabulu. Choć nieznaczne, dowodziły, że ludzie wciąż żyją.

Pomimo wysiłku talibów, by stłumić wszelką kobiecość, wiele moich rodaczek nie miało najmniejszej ochoty się jej wyzbywać. Niektóre ze znajomych malowały się albo perfumowały pod burką, chodziły też do nielegalnych salonów piękności. Cieszyły się one powodzeniem zwłaszcza wśród młodych mężatek, które pragnęły za wszelką cenę wyglądać atrakcyjnie, nawet pod rządami talibów. O dziwo, w sklepach sprzedawano kosmetyki, lecz prawo zakazywało ich używania.

Nawet stosowanie czegoś tak z pozoru niewinnego jak lakier do paznokci, zakazany przez talibów, mogło się skończyć okropnymi konsekwencjami. Dlatego z przerażeniem patrzyłam, jak młoda córka jednej z członkiń RAW-y maluje sobie długie paznokcie na jasnoróżowo.

– Nie jest to niebezpieczne? – spytałam, jąkając się.

– A co mam robić? Przestać żyć z powodu talibów? Jeśli chcą mnie bić, to niech mnie biją – odparła.

Byłam zdumiona. Wiedziałam, że talibowie obcinali opuszki palców kobietom, które zostały przyłapane z polakierowanymi paznokciami.

*

Spotkałam się nieraz z przykładami ogromnego poświęcenia w Kabulu. Wrażenie zrobiła na mnie zwłaszcza Khalida, nauczycielka prowadząca tajne nauczanie dla około trzystu dzieci w różnych rejonach Kabulu. Pod rządami talibów dziewczętom nie wolno było chodzić do szkoły, chłopcy zaś mogli studiować wyłącznie Koran, więc RAWA zorganizowała zajęcia dla dzieci, których rodzice gotowi byli podjąć ryzyko w imię przyszłości swych pociech.

Talibowie wiedzieli już o działalności Khalidy od swych donosicieli i nakazali jej zaprzestać nauczania. Powiedziała im, że to zrobi, a potem przeniosła się do innego lokalu i zaczęła od nowa.

Znalazłam Khalidę w małej dwuizbowej lepiance należącej do członkini RAW-y i jej męża. Para ta stanowiła kamuflaż – w razie najazdu talibów mogli zawsze powiedzieć, że to ich dzieci. Często takie małżeństwa musiały co jakieś pięć miesięcy przeprowadzać się do nowego domu, by zapewnić dzieciom bezpieczeństwo.

Podałam ustalone wcześniej hasło i zostałam wpuszczona do środka. Fakt, że musiałyśmy nosić burki, skłaniał do szczególnej ostrożności – nigdy się nie wiedziało, kto staje pod drzwiami.

Khalida kończyła właśnie lekcję perskiego dla zaledwie czworga dzieci, kiedy się zjawiłam. Tu, w zachodniej części miasta, zwanej Kartyi Parwan, prowadzenie zajęć dla liczniejszego grona było zbyt niebezpieczne. Usadowione na dywanie dzieci, w wieku od ośmiu do czternastu lat pouczono wcześniej, by w razie najścia talibów mówiły, że przyszły odwiedzić ciotkę, a nie nauczycielkę. Rodzice przyprowadzali je tutaj o różnych porach dnia i nigdy nie tłumaczyli, czym jest RAWA i że to właśnie ta organizacja prowadzi lekcje.

Nie można było zadawać dzieciom pracy domowej, bo ktoś mógłby je przyłapać z zeszytami. Dzieciom w Afganistanie wolno było nosić kałasznikowa, ale nie pracę domową.

Na tablicy opartej o wilgotną i brudną ścianę Khalida

napisała przezornie: „Zaczynam od imienia Allah", ponieważ było to pierwsze słowo, jakiego uczyli się chłopcy w szkołach talibskich. Pod spodem widniały słowa nakreślone dziecinną dłonią: „Kocham mój kraj".

Zobaczyłam leżący przed Khalidą na honorowym miejscu otwarty egzemplarz Koranu. Po lekcjach wyjaśniła mi, że zawsze ma go przy sobie – na wypadek gdyby talibowie wpadli do domu, mogłaby wsunąć pod spód podręcznik do matematyki albo perskiego i udawać, że dzieci studiują Koran, co było dozwolone.

Khalida była bardzo zmęczona i zasypała mnie żądaniami.

– Potrzebujemy większego domu. Chodzi o to, byśmy mogły uczyć więcej dzieci. Wiesz, co one mi mówią? „Jesteśmy tak głodne i tak nam burczy w brzuchach, że nie rozumiemy lekcji". Muszę przerywać zajęcia i iść do sklepu po trochę chleba. Czy RAWA mogłaby zapłacić za ich wyżywienie i ubrania? Potrzebuję też pieniędzy na przybory szkolne, rodziców na to nie stać. Nie masz pojęcia, ile dzieci do mnie nie przychodzi tylko dlatego, że rodzice nie mogą sobie pozwolić na kupno ołówków i papieru. Czy RAWA mogłaby za to również zapłacić?

Była tak zdesperowana, że zaczęła krzyczeć, uderzając dłonią w dywan. Poprosiłam, by mówiła ciszej, bo mogą nas usłyszeć sąsiedzi. Uspokoiła się. Było mi jej żal.

– Spytam, gdzie trzeba, i zobaczę, co da się zrobić. Musisz jednak zrozumieć, że nie chodzi tu o przybory wyłącznie dla twoich uczniów, ale dla wszystkich dzieci w Afganistanie, które chodzą na nasze zajęcia – wyjaśniłam.

Dzieci Khalidy nie były nawet kroplą w morzu, stanowiły jednak przyszłość Afganistanu. Po pewnym czasie mogłam przekazać jej dobrą wiadomość – RAWA nie mogła pokryć kosztów wyżywienia i odzieży, ale zgodziła się zapłacić za przybory szkolne uczennic, które uczęszczały na zajęcia organizowane przez nią w całym Afganistanie. Znaleźliśmy też Khalidzie dwa nowe lokale.

ROZDZIAŁ XIV

Niestety nigdy nie udało mi się zobaczyć swego domu. Ani też ludzi, których znałam w dzieciństwie. Raz, jadąc z Abidą i Dżawidem na jakieś spotkanie, zorientowałam się, że jesteśmy niedaleko mojej rodzinnej okolicy. Poprosiłam kierowcę, by skręcił w główną drogę, skąd mogłam zobaczyć swoją ulicę. Kiedy byliśmy już blisko, powiedziałam, by zwolnił.

Przycisnęłam twarz do szyby, lecz siatka w burce ograniczała mi skutecznie pole widzenia. Budynki wokół były zbombardowane, większość sklepów, które jeszcze się zachowały, po prostu zamknięto. Nie dostrzegłam nigdzie bawiących się dzieci ani kur czy kóz. Nie byłam w stanie dojrzeć znajomych niebieskich drzwi.

Kierowca spytał, czy ma zatrzymać samochód. Domyślił się. Kusiło mnie, żeby wysiąść, zrezygnowałam jednak. Nie chciałam oglądać teraz domu. I tak nie wzięłam od babki kluczy. Może powrócę tu pewnego dnia, gdy zapanuje pokój, pomyślałam, i wtedy go zobaczę.

Kiedy żegnałam się przed wyjazdem z Zebą, uśmiechnęła się do mnie i powiedziała:

– To dobrze, że się zobaczyłyśmy, bo możemy się już więcej nie spotkać.

Próbowałam się roześmiać, ale poczułam ucisk w gardle.

– Nie mów tak. Jestem pewna, że się jeszcze spotkamy – odparłam.

– Wiesz, że to prawda. Powinnaś przygotować się na moje aresztowanie – wyjaśniła.

Uściskałyśmy się, nim włożyłam burkę. Wiedziałam, że ma rację, i przez całą podróż myślałam tylko o niej i jej niebezpiecznej pracy. Czułam się taka chora, taka zmęczona i smutna, kiedy przekraczaliśmy granicę Pakistanu, że nie miałam nawet siły ściągnąć burki. Zrobiłam to dopiero po powrocie do domu.

Kiedy spojrzałam w lustro, ujrzałam jakby znak klatki na swoim czole. Uświadomiłam sobie, że gdy zasnęłam w drodze powrotnej, siatka przesunęła się ponad brwi i odcisnęła ślad na mojej skórze – jedyny, jaki pobyt w Kabulu zostawił na moim ciele, serce jednak miałam głęboko zranione.

*

W ciągu następnych paru lat wracałam do Kabulu jeszcze kilkakrotnie. Coraz bardziej byłam poruszana absurdem życia pod rządami talibów. Raz, gdy szłam ulicą, jakiś mężczyzna zapytał mnie, jakie warzywa ma kupić. Myślałam, że jest obłąkany, ale po chwili uświadomiłam sobie, że bierze mnie za swoją żonę. Moja burka była tego samego koloru co jej, a ona akurat gdzieś się zatrzymała.

Nawet jedzenie czegoś tak zwyczajnego jak lody stało się komicznym przedsięwzięciem. Tylko nieliczne sklepy sprzedawały je kobietom, ponieważ ich właściciele bali się, że zjawią się talibskie patrole i zbiją ich za to, że pozwalają kobietom gromadzić się w jednym miejscu. Przyjaciółki powiedziały mi, że nie było tam dla nich krzeseł i że musiały stać, odsuwając lewą ręką burkę sprzed twarzy, a prawą, ukrytą pod materiałem, podnosząc lody do ust. Wyglądały jak pokraczne ptaki z długimi dziobami. Narzekały na talibów, starając się jeść jak najszybciej, bo lody szybko się topiły i plamiły burki. Ich pranie nigdy nie jest łatwe, ponieważ trzeba odprasować wszystkie fałdki i załamania, i kobiety niejednokrotnie czyszczą tylko kawałek materiału w okolicy ust.

Podczas jednego z moich pobytów w Kabulu przebojem był film „Titanic", od którego wzięła nazwę nowa męska fryzura. Do miasta szmuglowano kasety wideo, a chłopcy chodzili do fryzjera i prosili o strzyżenie „na Titanica", zainspirowane przez Leonarda DiCaprio. Lecz mułłowie talibscy przestrzegali w czasie piątkowych modłów przed DiCaprio i Kate Winslet, twierdząc, że zgrzeszyli przeciwko islamowi, gdyż nawiązali przed ślubem kontakty fizyczne. Ogłosili, że skoro „Titanic" zatonął, to stało się to za sprawą Allaha, rozgniewanego na kochanków za ich zachowanie. Talibowie uważali, że zderzenie z górą lodową jest odpowiednią karą. Dla aktorów mieli jednak w zanadrzu coś więcej: gdyby kiedykolwiek ich noga postała w tym kraju, zostaliby ukamienowani na śmierć.

Talibowie postanowili też karać każdego chłopca, który zgrzeszy fryzurą w stylu „na Titanica". Kiedy dostrzegali takiego na ulicy, gwizdali na niego jak na psa. Potem szydzili z biedaka. „Hej, przystojniaczku – wołali, szarpiąc go za włosy. – Co to za fryzura? Podoba nam się. Chcesz więc grać w filmie niewiernych?". Potem ktoś przynosił nożyczki i talibowie zaczynali ścinać chłopakowi włosy. Wreszcie odsyłali go do domu ze straszliwie zmierzwioną i pociętą czupryną. Miał szczęście, jeśli obywało się bez chłosty.

Lecz potępienie talibów nie powstrzymało straganiarzy w samym środku Kabulu przed głośnym zachwalaniem swego towaru: „Kupujcie u mnie jabłka «Titanic»!" albo „Kapusta «Titanic» na sprzedaż!" Jedno z targowisk, które latem przeniosło się na jakiś czas do wyschniętego koryta rzeki Kabul, nazwało się „bazarem «Titanic»". Nic nie mogło zdławić w ludziach tęsknoty za opowieścią o wiecznej miłości – w kraju, gdzie wymuszone małżeństwa były zasadą.

Absurdalność postępowania talibów nie znała granic. Kiedy w Ameryce wybuchł skandal z Moniką Lewinsky, jeden z mułłów w kabulskim meczecie, grzmiąc na jej antyislamskie zachowanie, nie był nawet w stanie wymówić prawidłowo jej nazwiska. Wciąż ją nazywał Moniką Whisky. A zatem kobieta ta dopuściła się podwójnego grzechu: nie tylko była winna nieobyczajnego zachowania z prezydentem Stanów Zjednoczonych, ale też nazwiska, które jako synonim zakazanego trunku stanowiło obrazę islamu.

Nigdy nie mówiłam babce o swoich wyprawach do Kabulu przed wyruszeniem w drogę. Wspominałam o nich dopiero po powrocie. Kiedy opowiedziałam jej o swoim pierwszym pobycie, jej niedowierzanie ustąpiło miejsca gniewowi, potem uldze. „Zrobiłaś dobrze, nic mi nie mówiąc zawczasu – orzekła. – Inaczej nigdy nie pozwoliłabym ci jechać".

Krótko po moim powrocie babka dała mi białą koszulę nocną, która należała do matki. Zabrała ją ze sobą z Kabulu, a teraz pragnęła, bym jej używała.

*

Nawet w Pakistanie nie mogłyśmy być pewne, czy nie dosięgnie nas długie ramię talibów i ich zwolenników. W kwietniu 1998, rok po mojej pierwszej misji w Kabulu, zorganizowana przez nas demonstracja w Peszawarze, gdzie panował blisko czterdziestostopniowy upał, zakończyła się zamieszkami, nie z naszej winy zresztą.

Nagle z medres wysypali się uczniowie o brodatych, wykrzywionych nienawiścią twarzach i chwyciwszy za kije i pałki ruszyli w naszą stronę. Kiedy wznosiłyśmy okrzyki, domagając się równouprawnienia i protestując przeciwko mordom, torturom i gwałtom dokonywanym na kobietach pod rządami talibów w Kabulu, mężczyźni w białych turbanach zaatakowali nas zaciekle.

Nigdy nie widziałam żadnej demonstracji w Kabulu ani za okupacji radzieckiej, ani też potem. Pamiętam, że matka próbowała mi wyjaśnić, czym jest demonstracja, ale nie bardzo rozumiałam, o co jej chodzi. Soraya opowiadała nam na lekcjach o wielu demonstracjach, w jakich brała udział w Pakistanie. „Dziwne, prawda? – mówiła. – Byłam tam, w tłumie, i miałam zakrytą twarz, by nikt mnie nie rozpoznał, protestując jednocześnie przeciwko wszystkiemu, co symbolizuje burka".

Tu, w Peszawarze, kilkaset członkiń RAW-y wraz ze zwolennikami przywieziono w pobliże ulicy, którą wybraliśmy na demonstrację, ponieważ w okolicy mieszkało i pracowało wielu Afgańczyków. Niektóre kobiety przybyły nawet z Afganistanu, by wziąć w niej udział.

Dopiero na ulicy rozwinęliśmy transparenty z symbolem organizacji i naszymi hasłami.

– Precz z fundamentalizmem! – wzniósł się okrzyk. – Prawa kobiet to prawa człowieka! Niech żyje demokracja!

Po krótkiej chwili krzyki naszych ludzi na czele pochodu przybrały jeszcze bardziej buntowniczy ton. Szłam obok Saimy na samym końcu. Zrozumiałam, że coś jest nie w porządku, gdy ujrzałam starszą członkinię organizacji, przepychającą się przez tłum w stronę jednego z naszych sympatyków.

– Mamy kłopoty na przedzie! – krzyknęła do niego. – Zbierz tylu mężczyzn, ilu tylko się da, i sprowadź ich jak najszybciej!

Zawsze byłyśmy przygotowane na najgorsze. Zarówno kobiety należące do organizacji, jak i wspomagający nas mężczyźni mieli pod ręką kije na wypadek ataku. RAWA przysyłała też zawsze kilka pielęgniarek.

Chciałam sama sprawdzić, co się dzieje. Razem z Saimą przepychałyśmy się na czoło pochodu.

Uczniowie medres, poszczuci na nas przez swych mułłów jak psy, kopali i bili każdego, kto im się nawinął pod rękę, kilku próbowało chwycić sztandar RAW-y, lecz kobiety, które go trzymały, były duże i silne i nie zamierzały go puścić. Płótno było rozdarte, kobiety miały na rękach i twarzach zadrapania.

Starałyśmy się im z Saimą pomóc. Otrzymałam kilka ciosów, ale nie pozostałam dłużna. Zobaczyłam, że jedna z moich przyjaciółek ma skręcone pod dziwnym kątem ramię. Ręka była złamana, ona jednak walczyła nadal zdrową.

Usłyszałam rozpaczliwe wołanie Zohreh, jednej z dziewcząt. Spoczywała na ziemi, półleżąc, i trzymała się za ciężarny brzuch. Oddychała spazmatycznie. Dostrzegłam krew na jej spodniach i pomyślałam, że została ranna w nogi.

Zaniosłyśmy ją do najbliższego sklepu i wezwałyśmy karetkę, mając nadzieję, że zdoła się przecisnąć przez tłum. Nie było nigdzie widać pielęgniarek RAW-y, pozostało nam tylko wachlować dziewczynę gazetą i dawać wodę do picia.

Potem się dowiedziałam, że Zohreh poroniła. Inne uczestniczki demonstracji radziły jej, by ze względu na ciążę zrezygnowała z udziału, ale ona się uparła, że też pójdzie, że to dla niej ważne.

Uczniowie medres, od których talibowie wzięli swe imię, zabijali nie tylko dzieci i dorosłych, mordowali też płody w łonach matek.

CZĘŚĆ PIĄTA

Obóz na pustyni

ROZDZIAŁ XV

Trzymałam dłonie starej kobiety tak zimne, że miałam wrażenie, jakbym dotykała zwłok. Nie zdradziła niczym, że jest świadoma mojej obecności. Nie płakała, tylko patrzyła nieruchomym wzrokiem w podłogę. Jej głowa, owinięta czarną żałobną chustą, zwieszała się na bok. Miała białą twarz, wargi sine i pokryte zaschniętą krwią. Poruszała jedynie kciukiem, którym tarła powoli o palec wskazujący.

Mężczyźni, którzy przybyli wraz z nią do obozu uchodźców pod Peszawarem, gdzie mieszkałam, powiedzieli mi, że straciła swego syna Nadżiba. Znałam go, mieszkał i studiował w obozie, potem przystał do sympatyków RAW-y i zaczął prowadzić zajęcia dla chłopców. Przed rokiem wyjechał, by zaopiekować się matką. Przebywała w mieście Jakaolang w środkowym Afganistanie, zamieszkanym głównie przez Hazarów, których talibowie nienawidzili.

Kilka dni wcześniej usłyszałam w radiu o dokonanej tam masakrze. Uchwyciłam tylko część wiadomości –

odbiornik jest bardzo stary, znalezienie odpowiedniej częstotliwości zajmuje zwykle co najmniej pół godziny. A nawet gdy się to uda, sygnał zanika co chwila, a ja wściekam się nieodmiennie.

Kiedy pierwszy raz ujrzałam uchodźców, nie mogłam znaleźć słów. Było ich około czterdziestu, w większości kobiety i dzieci. Staraliśmy się im pomóc, lecz dorośli siedzieli jak otępiali, wspierając brody na dłoniach. Należeli do plemienia Hazarów i stracili wszystko. Teraz zamknęli się we własnym świecie.

Nie mogłam się nawet zdobyć na słowa, jakie często kieruje się do kogoś, kto stracił bliskiego albo przyjaciela: „Przykro mi, mam nadzieję, że okażesz dość siły i przetrwasz tę tragedię". Nic by to dla nich nie znaczyło wobec ogromu cierpienia, pewnie w ogóle by mnie nie słyszeli.

Matka, wychudzona, w brudnych łachmanach, siedziała nieruchomo w kącie. Obok przycupnęła młoda kobieta, która została żoną Nadżiba zaledwie dwa dni przed jego śmiercią. Na jej włosach i dłoniach zachowały się jeszcze ślady rdzawobrązowej henny, pamiątka po uroczystości ślubnej. Nie byłam w stanie patrzeć na matkę Nadżiba, mając go teraz przed oczami i wspominając, z jakim zapałem studiował i jak był uczynny.

Nie mogłam dłużej tego znieść, wyszłam więc bez słowa. Zdawałam sobie sprawę, że w tej chwili nie mam siły im pomóc. Czasem mi się wydaje, że nawet gdybym słuchała straszliwych opowieści uchodźców całymi dniami, aż do obłędu, to i tak nie zdołałabym niczego zmienić w ich życiu. Lepiej więc zająć się swoją pracą, pokazać, że robimy coś, by im pomóc, zamiast obiecywać złote góry.

W końcu poznałam szczegóły masakry, która dokonała się w styczniu 2001 roku, od przyjaciółki z RAW-y, gromadzącej relacje ocalałych do specjalnego raportu. Nie brałam w tym udziału. Nie byłam w stanie słuchać, jak mężczyźni, którzy przeżyli, naśladują cmokaniem terkot automatów, a kobiety, które straciły synów, mężów i braci, dają głośno upust swemu bólowi. Tamtego dnia, kuląc się w swoich domach, musiały słuchać odgłosów broni maszynowej i przy każdej kanonadzie widziały swych mężczyzn, osuwających się na kolana.

Uważam, że spisywanie zeznań uchodźców to jedno z najokropniejszych zajęć w naszej pracy. Nie potrafię tego robić. Jestem pewna, że nikt niczego nie wyczyta z wyrazu mojej twarzy, gdyż nie lubię okazywać prawdziwych uczuć, ale wszystko się we mnie burzy, kiedy słucham którejś z tych wstrząsających opowieści. Lękam się swojej reakcji.

Dowódca talibów przejął miasto i rozkazał zebrać wszystkich chłopców i mężczyzn w wieku od siedemnastu do siedemdziesięciu lat, którzy sprzyjają siłom antytalibskim. Jego żołnierze spędzili podejrzanych do wyznaczonych miejsc, postawili przed plutonami egzekucyjnymi i rozstrzelali. Zamordowano około trzystu osób. Jeden chłopiec został żywcem obdarty ze skóry. Wszystko po to, by odstraszyć mieszkańców od współpracy z wrogami talibów.

Jeden z ocalałych mężczyzn powiedział mi, że po masakrze wziął swą matkę za rękę i wyprowadził ją z Afganistanu. „Ani razu nie odezwała się do mnie. Nie spytała nawet, dokąd ją prowadzę", mówił.

Upłynęły trzy dni, nim zdecydowałam się odwiedzić matkę Nadżiba. Usiadłam obok niej i poszukałam pulsu na jej dłoni. Był prawie niewyczuwalny. Jej synowa, dziewczyna siedemnastoletnia, siedziała w kącie, zerkając czasem na mnie.

– Matko – zaczęłam. – Nie mam słów, by wyrazić swój żal. Nadżib był naszym bratem, pomagał nam z całych sił. Dopóki żyjemy, możesz na nas liczyć. Pomożemy ci nawet pomścić krew twego syna.

W tym momencie zrobiłabym wszystko dla tej kobiety, chwyciłabym nawet za broń. Nie myślałam racjonalnie i nigdy nie powinnam była wypowiadać tych słów. Czasem daję się ponieść uczuciom i wtedy nie mogę się powstrzymać od mówienia pewnych rzeczy. Matka wciąż siedziała nieruchomo, jej oczy były pozbawione życia. Nie potrafiłam odgadnąć, czy moje słowa do niej docierają.

– Matko, tu jest teraz twój nowy dom. Zaopiekujemy się tobą. Nadżib nie żyje, ale jego przyjaciele będą zawsze cię odwiedzali – ciągnęłam, lecz ona nie zwracała na mnie najmniejszej uwagi.

W końcu wstałam.

– Wybacz, że tak długo mówiłam – rzekłam. – Wiem, że to nieodpowiednia chwila.

Wciąż nie dawała znaku, że w ogóle cokolwiek do niej dociera, nie drgnęła też, kiedy wyszłam z pokoju. Zrobiłam ledwie kilka kroków, kiedy usłyszałam krzyk, tak przeraźliwy, że stanęłam jak wryta.

– Nadżib! – krzyczała matka. – Zabiłeś mnie, zabiłeś swoją matkę!

Pobiegłam z powrotem do pokoju. Kobieta, która jeszcze przed paroma chwilami siedziała nieruchomo, nagle oszalała, biła się po twarzy i ciągnęła za włosy. Synowa próbowała ją uspokoić. Posłałam kogoś po lekarza, potem ujęłam kobietę za rękę i zdołałam jakoś zmusić, by znów usiadła. Miała tak przyspieszony puls, że zaczęłam się lękać o jej życie.

Nagle przestała się trząść, jakby wyczerpała całą energię.

Położyła mi dłonie na policzkach i pocałowała w czubek głowy. W odpowiedzi ucałowałam jej ręce.

Nazajutrz dowiedziałam się, że odmawia wszelkich pokarmów i napojów. Poszłam do niej, chcąc ją nakłonić, by wypiła odrobinę mleka. Gdy synowa podtrzymywała jej głowę, przysunęłam szklankę do ust kobiety, ale nie zareagowała. Na pokrytych zaschniętą krwią wargach pojawiła się jedynie cieniutka biała warstwa. Lekarze podłączyli jej kroplówkę.

Nigdy więcej nie rozmawiałam z nią o śmierci syna. Nie mogłam jednak o niej zapomnieć, choć byłam zajęta innymi sprawami w obozie. Powrócił mój koszmar. Ktoś lub coś zbliża się do mnie – wiem, że chce mnie skrzywdzić. Nie jestem w stanie krzyczeć ani się poruszyć. Otwieram usta, nie mogę jednak wydobyć z siebie żadnego dźwięku. Nogi mam jak z drewna. Coś otacza mnie z wszystkich stron, ale nie mam pojęcia, co to jest, wiem tylko, że ma czarną barwę. Jest coraz bliżej. Nagle budzę się i wiedząc doskonale, że już nie zasnę, zapalam światło i zabieram się do jakiejść pracy, bez względu na porę – zazwyczaj jest druga albo trzecia nad ranem. Martwię się tylko, że pewnej nocy to coś podejdzie na tyle blisko, by mnie dotknąć.

Później rozmawiałam z wdową po Nadżibie, która była analfabetką.

– Nie chodź w żałobie – poradziłam jej. – Jeśli pragniesz okazać swą miłość do Nadżiba, zrób coś, z czego byłby dumny – zacznij chodzić na kurs pisania i czytania. Bardzo by się z tego cieszył.

– Spróbuję – odparła.

Zaczęła następnego dnia. Tylko podczas zajęć opuszczała teściową, resztę czasu spędzała u jej boku. Była dobrą uczennicą, choć wciąż martwiła się o oceny. Przekazałyśmy im jedyny wolny pokój w sierocińcu. Było w nim tak gorąco, że nie mogły zamykać drzwi, w wejściu wisiała tylko zasłona przeciwko muchom i komarom.

Poprosiłyśmy dziewczęta w sierocińcu, by otoczyły tę kobietę szczególną troską i nie odsuwały gwałtownie zasłony, wchodząc do jej pokoju. Chodziło nam też o to, by starały się ją namówić do wypicia codziennie choć odrobiny mleka. Po jakimś czasie kobieta zaczęła jeść.

*

Po kilku latach, jakie upłynęły od dnia, gdy wstąpiłam do RAW-y, organizacja wysłała mnie do obozu uchodźców. Zjawiłam się tam w chmurze pyłu, tak gęstego, że pomimo chusty, którą owinęłam sobie twarz, jego drobinki powchodziły mi w oczy i włosy. Jechałam z miasta ciężarówką, siedząc wraz z innymi kobietami na otwartej skrzyni, obok pudeł z zaopatrzeniem. Przez ostatnie pół godziny wóz podskakiwał na wybojach pustynnej drogi. Samochody jadące w przeciwną stronę wzbijały co chwila tumany kurzu.

Przywitała mnie Amina, pracownica RAW-y. Trzy lata starsza ode mnie, była wysoka, chuda i miała długie ciemne włosy, które zaplatała w warkocze. Wyjaśniła mi, że przybyła do obozu jako uchodźca razem z ojcem, sprzedawcą warzyw na afgańskim targu, kiedy stracił pracę. Była wtedy młodą dziewczyną. Uczyła się w obozowej szkole i nigdy nie opuściła obozu.

Pokazała mi dom, który miałyśmy dzielić. Stał pośrodku obozu – mała ciemna lepianka, bardzo podobna do tej, w której dorastałam jako dziecko – tak samo spadały z sufitu kawałki gliny, a termity przebijały się pracowicie przez drewniany stół i krzesła. Wszędzie walały się stosy papierów. Nie było ogrzewania. Funkcję toalety pełniła niewielka szopa na zewnątrz z dziurą wykopaną w ziemi. Pomijając dokumenty, dom niczym nie różnił się od pozostałych w obozie.

Spędziłyśmy razem ledwie kilka minut, gdy do drzwi zaczęli pukać uchodźcy. Dzieci bawiące się wokół swoich domów szybko rozniosły po obozie wieść o naszym przybyciu. Wszyscy chcieli mnie uściskać. Wierzyli, że możemy naprawdę zmienić ich życie.

Tego wieczoru, kiedy siedziałyśmy na dworze i rozmawiałyśmy, zauważyłam, że na niebie jest o wiele więcej gwiazd niż w mieście. W dzieciństwie często próbowałam odszukać gwiazdę, która świeciła najmocniej.

– W obozie jest tak ciemno, że gwiazdy dobrze widać – wyjaśniła. – Często spaceruję do północy i spoglądam w niebo.

– To nie jest chyba zbyt bezpieczne. Ktoś mógłby podkraść się od tyłu i...

Amina przytaknęła.

– To prawda, trzeba bardzo uważać. Ale nie martw się o mnie.

Tej nocy chciała oddać mi swoje łóżko, ale uparłam się, że będę spać na dywanie. Na małym stoliczku postawiłam książki i buteleczkę perfum, którą ze sobą przywiozłam. Choć wiedziałam, że nie będę miała okazji użyć ich w obozie, chciałam je mieć przy sobie. Od pierwszej chwili przywykłam myśleć o tej lepiance jak o swoim domu.

Wczesnym rankiem ujrzałam za oknem toczące się życie obozu – jak na ekranie telewizora. Kobiety z dzbanami koziego mleka na głowach pokrzykiwały gniewnie na dzieci, które biegły do szkoły, poszturchując się nawzajem.

Niebawem się przekonałam, ile współczucia ma w swym sercu Amina – nigdy bym jej nie dorównała. Kilka dni po moim przyjeździe polecono nam zorganizować w obozie ważne zebranie; miały przybyć z innych obozów pracownice RAW-y, by pomówić o sprawach organizacyjnych. Miałyśmy właśnie zaczynać, gdy zauważyłam, że nie ma tylko Aminy, poszłam więc jej poszukać.

Obóz był rozległy, przebywało w nim dwa tysiące rodzin. Wszędzie stały lepianki i namioty. Na pustynnej, zapylonej glebie nie było nawet śladu zielonego krzewu czy drzewa. Nie bardzo wiedziałam, gdzie mam jej szukać. Przejście z jednego końca obozu na drugi zabrało mi godzinę. Szłam przed siebie, pukałam do drzwi, pytałam dziesiątki ludzi, czy jej nie widzieli, i wysyłałam dzieci na poszukiwania. Nikt nie wiedział, gdzie jest.

W końcu znalazłam ją na drugim końcu obozu. Trzymała w ramionach tak brudnego malca, że chyba bym go nigdy nie dotknęła. Był zapłakany, włosy miał zlepione od brudu, a po brodzie ściekały mu smarki z nosa.

– Amina, co ty wyprawiasz? – spytałam gniewnie. – Zapomniałaś o zebraniu? Wszyscy na ciebie czekamy.

– Och, przepraszam. Zobaczyłam tego dzieciaka, ma tylko siedem lat, a już pracuje w tej fabryce cegieł. Pomyślałam, że zabiorę go do sklepu i kupię mu coś słodkiego – odparła.

Stojąca niedaleko fabryka była rzeczywiście strasznym miejscem. Każdego dnia zasnuwała niebo nad obozem czarnym dymem, kiedy palono w piecach starymi oponami. Pełniły funkcję opału. Chłopiec, którego trzymała w ramionach Amina, wstawał zwykle o czwartej rano i pracował bez przerwy do wieczora; najpierw przygotowywał glinianą masę na cegły, a potem zanosił ją w żelaznych formach do pieca, uginając się pod ogromnym ciężarem. Dłonie miał bezustannie podrapane i zakrwawione. Wszystko to za dziesięć rupii dziennie. Dorośli dostawali sześćdziesiąt rupii, niecałego dolara, pod warunkiem, że będą pracować szybko i wyprodukują każdego dnia pięćset cegieł.

Dzieci i dorośli pracowali przy piecu nawet w najgorętsze dni, ich ciała piekły się niczym glina, którą wypalali. Byli traktowani jak niewolnicy. Średnia ich życia skracała się o połowę z powodu pyłu i dymu, który codziennie wdychali. Właściciele fabryki, Pakistańczycy, nigdy nas do niej nie wpuścili.

Nie potrafiłam się gniewać na Aminę; gdy szłyśmy na zebranie, musiałam ją co chwila popędzać. Nazwałam ją „Żółwiem", ponieważ chodziła bardzo wolno, niemal tak wolno jak moja babka.

Często widywałam, jak siedziała z kobietami i zapłakana słuchała ich opowieści. Nigdy im nie odmawiała, kiedy do niej przychodziły, i tak bardzo przeżywała te historie, że nieraz zapominała o swych obowiązkach.

ROZDZIAŁ XVI

Wydawało nam się, że wszystko zostało zorganizowane właściwie. Rozprowadziłyśmy wśród najbardziej potrzebujących rodzin w obozie talony, mówiąc przy tym wyraźnie, gdzie i kiedy mają się zgłosić po jeden z tysiąca pięciuset koców, które należało im rozdać. Na jeden talon można było otrzymać tylko jeden koc. Uzyskaliśmy u władz pakistańskich pozwolenie na wykorzystanie ich niewielkiego budynku, który stał na terenie obozu i był otoczony murem, co pozwoliłoby nam kontrolować strumień uchodźców zgłaszających się po koce. Tak nam się w każdym razie wydawało.

Kilka godzin przed wyznaczoną porą przy bramie zebrały się setki uchodźców. Razem z Aminą i innymi pracownicami RAW-y rozłożyłyśmy koce w głównym pomieszczeniu i poprosiłyśmy mężczyzn, którzy nam pomagali, by wpuścili pierwszych uchodźców.

Ledwie rozdałyśmy kilka koców, kiedy z zewnątrz dobiegły krzyki.

– Dlaczego dajecie koce tylko niektórym ludziom, a innym nie?! – wołał jakiś mężczyzna.

– Wszyscy potrzebujemy koców! – wrzasnął ktoś inny.

W ciągu kilku sekund mężczyźni pilnujący porządku przy bramie zostali obezwładnieni, a tłum ruszył na budynek – mężczyźni w łachmanach i kobiety w czadorach albo burkach. Wszyscy przecisnęli się przez drzwi i wtargnęli do środka. Garstka pomocników, którzy nam towarzyszyli, próbowała ich wypchnąć na zewnątrz, wymachując pałkami. Prosiłyśmy, by nie bili uchodźców za mocno, ale odparli, że tylko tak mogą nas obronić przed ich atakiem.

Ci ludzie byli szaleni z rozpaczy. Zepchnęli nas pod samą ścianę. Stojąca przede mną stara, siwowłosa kobieta podsunęła mi gwałtownym ruchem swój talon. Kiedy potrząsnęłam głową, nic nie mogąc zrobić, rzuciła się na podłogę i zaczęła krzyczeć z gniewu. Kilka osób próbowało ją uspokoić.

Obok jakiś mężczyzna i kobieta ciągnęli z obu stron za koc, próbując przewrócić się nawzajem na podłogę.

– Moje dzieci umierają z zimna! – wołała skrzekliwym głosem kobieta.

Koc rozdarł się na pół i oboje zaczęli walczyć o te dwa kawałki. Wkrótce po całym pomieszczeniu fruwały strzępy materiału, unosząc się nad głowami mężczyzn i kobiet, którzy niszczyli teraz zawzięcie wszystkie koce. W powietrzu zrobiło się tak gęsto, że nic prawie nie było widać. Przypominało to burzę piaskową, jaka czasem przechodziła nad obozem, zakrywając domy i namioty i wdzierając się do naszej lepianki, gdzie wszystko ginęło pod warstwą brudu i pyłu.

Pozostała nam tylko ucieczka. Nie czułam gniewu

wobec tych ludzi. Nie mogłam oprzeć się myśli, że będąc na ich miejscu, zachowałabym się pewnie tak samo.

Potem spotkałam tę siwowłosą kobietę, która podsuwała mi talon. Kroczyła po obozie, obnosząc z dumą kawałek podartego koca na głowie, jakby to była najcenniejsza rzecz pod słońcem.

Tego wieczoru Amina sprawiała wrażenie wyczerpanej. Ledwie tknęła kolację złożoną z ryżu i warzyw. Była blada, a jej oczy miały dziwny wyraz. Powiedziałam coś do niej, ale zauważyłam, że mnie nie słucha. Wstała, by zanieść talerze do kuchni, gdy nagle je upuściła i osunęła się na podłogę. Jej ciałem wstrząsały drgawki, biła głową o podłogę i szarpała się za włosy. Dostrzegłam w jej dłoniach wyrwane pasemka.

Wiedziałam, że to atak epilepsji i że powinnam wsadzić jej coś w usta, by nie pokaleczyła sobie warg i nie udusiła się własnym językiem. Chwyciłam czym prędzej łyżkę, ale Amina tak się rzucała, że nie mogłam sobie z nią poradzić i zaczęłam wzywać pomocy.

Kiedy doszła do siebie, spojrzała na mnie i uśmiechnęła się. Byłam spięta i próbowałam żartować, żeby się choć odrobinę rozluźnić:

– O mało nie doprowadziłaś mnie do obłędu, a teraz się uśmiechasz.

Usiadła.

– Mam nadzieję, że cię nie uderzyłam ani nie ugryzłam.

– Zrobiłaś to chyba specjalnie, miałaś po prostu ochotę mi dołożyć – zauważyłam wesoło.

Przed snem opowiedziała mi o swojej rodzinie i o zerwaniu stosunków z ojcem, który przed dwoma laty wrócił do Afganistanu.

– Napisał mi, że matka jest chora, że bracia też się na mnie gniewają i że powinnam wrócić i wyjść za mąż. Mówi, że muszę go słuchać. Ale jak mam stąd wyjechać, skoro nie mogę wytrzymać nawet jednego dnia poza obozem, bo zaraz żałuję?

Amina zawsze mnie przepraszała po atakach epilepsji, potem z nich żartowałyśmy. Nawet dla niej, którą uważałam za najsilniejszą osobę na świecie, praca dla uchodźców stanowiła czasem zbyt wielki ciężar. Starałam się ją przekonać, by poszła do lekarza, ale powtarzała nieodmiennie, że czuje się świetnie, że nie ma potrzeby. Ilekroć opuszczałam obóz, starałam się przywieźć jej zawsze trochę owoców. Raz, kiedy była akurat sama w jakimś domu w mieście, dostała ataku i zemdlała z dłonią na kaloryferze. Kiedy przyjaciółka ją znalazła, Amina miała na skórze ślady głębokich oparzeń.

Nigdy nie cierpiałam fizycznie tak jak ona. Choć czasem serce zaczynało mi uderzać bardzo szybko. Nie mogłam się ruszyć, czując ucisk w klatce piersiowej, jakby ktoś napierał na nią z całej siły, i oblewałam się z miejsca zimnym potem. Po jakimś czasie, równie niespodziewanie, serce zmieniało rytm i biło bardzo wolno, znacznie wolniej niż zwykle. Czekałam po prostu, aż mi przejdzie.

Jedną z najczęstszych chorób w obozie była malaria, roznoszona przez komary, które nie dawały nam spokoju dzień i noc. Złapałam ją trzy razy. Najgorzej było wtedy, gdy miałam pojechać do miasta na jakieś zebranie. Nagle zaczęły trząść mi się ręce. Już wcześniej czułam coś w kościach, ale mimo wszystko obiecałam, że zjawię się na zebraniu. Nie mogłam jednak opanować drżenia rąk. Było mi jednocześnie zimno i gorąco.

Przyjaciółki zorientowały się szybko, co mi jest, i przykryły mnie górą koców, chociaż było wczesne lato. Miałam wysoką gorączkę i zaczęłam wymiotować. Zabrały mnie do szpitala, gdzie się dowiedziałam, że to malaria. Straciłam pięć kilo, ale szybko wyzdrowiałam. Malaria to normalna rzecz w obozach, nasi lekarze zawsze mieli mnóstwo pacjentów, którzy na nią chorowali.

*

Pewnego letniego ranka przyglądałam się, jak Fatima, afgańska lekarka po trzydziestce, przygotowuje się do przyjmowania pacjentów w czterdziestostopniowym upale. Jej gabinet stanowiło stare krzesło skąpane w promieniach palącego słońca i ustawione na ziemi między dwoma rzędami lepianek. Za aptekę służył otwarty bagażnik samochodu, przy którym czekał farmaceuta, by wydawać zalecane przez nią leki. Zamiast fartucha lekarskiego miała chustę na głowie. Było jej strasznie gorąco, ale musiała ją nosić przez wzgląd na uchodźców.

Brak sprzętu medycznego nie miał większego znaczenia dla starych kobiet, które niczym mrówki napływały z całego obozu. Lekarka była dla nich boginią, zdolną odmienić ich życie.

Pierwsza podeszła staruszka o brązowej i pomarszczonej jak orzech twarzy, po czym zaczęła bez słowa powitania:

– Moja córko, proszę, pomóż mi, jestem chora.

Fatima nie zadała sobie nawet trudu, by spytać ją o wiek, gdyż starsze kobiety nie wiedziały zazwyczaj, ile mają lat. Nim zdążyła spytać, co jej dolega, pacjentka ciągnęła:

– Moja córko, jestem słaba. Daj mi lekarstwo.

Wielu uchodźców wierzyło święcie, że istnieje jedno lekarstwo na wszystkie choroby. Lekarka poświęciła kilka minut, by ustalić, co dolega kobiecie, podczas gdy kolejka chętnych do badania wydłużała się coraz bardziej.

– Wszystko mi dolega – odpowiadała uparcie kobieta. – Siedzi we mnie cała choroba świata, gnieździ się w moich kościach, dlatego jestem bardzo słaba. Daj mi lekarstwo na wzmocnienie.

W końcu Fatima zdołała ustalić, że kobieta cierpi na niedobór witamin i białka i wręczyła jej karteczkę dla farmaceuty. Kobieta ściskała ją w swych kościstych dłoniach i całowała, co trwało dłużej niż wydawanie diagnozy. Dziękowała Fatimie raz za razem, życząc lekarce i jej dzieciom długiego życia. Wciąż błagała Allaha o pomyślność dla nich, kiedy jeden z pracowników obozu odprowadził ją łagodnie na bok.

Farmaceuta musiał długo tłumaczyć kobiecie, że nie powinna połykać wszystkich tabletek naraz, że to może ją zabić. Kiedy oświadczył, że powinna brać leki trzy razy dziennie przy posiłkach, staruszka popatrzyła na niego tępo – nigdy nie jadała trzy razy dziennie, miała szczęście, jeśli udało jej się zapewnić sobie choć jeden posiłek. Farmaceuta musiał więc odmierzyć dawki leków według wezwań do modlitwy, dochodzących z niewielkiego meczetu na terenie obozu. „Matko, weź pierwszą pigułkę po drugiej modlitwie..."

Fatima zajmowała się już następną osobą, a czekały ich jeszcze setki. Lekarka wiedziała, że nie może się ograniczać do wysłuchania wyłącznie dolegliwości, że ci ludzie pragną jej opowiedzieć o swoim życiu. „Straciłem wszystko – mówili. – Mój brat zaginął w walce". A Fatima słuchała, gdyż kiedyś, dawno temu, postanowiła porzucić swój biały fartuch i czysty, cichy gabinet w mieście i spędzać dni pośród biednych i brudnych, którzy wielbili ją jak bóstwo.

Patrzyłam na Fatimę i myślałam o tajnych zespołach medycznych, które RAWA wysyłała w najbardziej odległe i zacofane rejony Afganistanu, gdzie pod rządami talibów kobiety umierały na niegroźne i uleczalne choroby, gdyż nie było w okolicy kobiet lekarzy. Zespoły docierały do zapadłych wiosek zwykłymi samochodami, ponieważ ambulans za bardzo rzucał się w oczy, i obwieszczały o swym przybyciu.

Okoliczni mieszkańcy byli tak uszczęśliwieni, że gdy do ich domu wkraczał lekarz, dziecko przynosiło miskę z wodą i ręcznik, by mógł umyć sobie dłonie. Był to w wielu wioskach pradawny zwyczaj, nie mający jednak wiele wspólnego z higieną, gdyż nie używano mydła. Nie podobał mi się jako pozostałość po czasach feudalnych i oznaka poddaństwa. Często ludzie z zespołu medycznego musieli spać w namiocie, ponieważ nie chcieli narażać swą obecnością ludzi, których gościnność w innych okolicznościach chętnie by zaakceptowali.

Mam nadzieję, że pewnego dnia będę mogła kształcić się na lekarza.

*

Nigdy mi nie przyszło do głowy, że będę musiała pełnić funkcję strażniczki. Był to jedyny sposób, by kobiety chciały uczęszczać na naukę pisania i czytania, którą zorganizowałyśmy z Aminą w obozie. Zawsze blokowałam drzwi klasy ciężkim łańcuchem i zamykałam je od środka. Kiedy były otwarte, do pomieszczenia co chwila wślizgiwały się dzieci i stojąc w kącie, pokazywały palcem i wyśmiewały matki siedzące na małych krzesłach.

Przez wiele tygodni chodziłyśmy wieczorami po obozie, szukając kobiet chętnych do nauki. Zawsze starałyśmy się pomówić z nimi na osobności i przekonać je, zanim dojdą do wniosku, że trzeba się skonsultować najpierw z mężem. Większość kandydatek śmiała się nam w twarz.

Lecz o siódmej rano rozległo się pukanie do naszych drzwi. Pewna kobieta przyniosła nam podarek - po jajku dla każdej. Musiały być świeżo zniesione, czułam ciepło w dłoniach, kiedy je trzymałam. Chciałam oddać swoje Aminie, ale stanowczo odmówiła. Był to szczególnie cenny prezent, ponieważ śniadanie oznaczało dla nas zazwyczaj parę kromek chleba - nie miałyśmy masła czy dżemu - i odrobinę herbaty.

Wprowadziłyśmy kobietę do środka i poczęstowałyśmy herbatą, a ona usiadła. Upłynęło jednak trochę czasu, zanim wyjaśniła cel swej wizyty.

– Moja córka chodzi do szkoły i sama widzę, jak szybko potrafi pisać. Zastanawiam się, czy też nie pójść do szkoły. Martwię się tylko, że ludzie będą się dziwić, co kobieta w moim wieku - mam już pięćdziesiąt pięć lat - robi w szkole, kiedy powinna siedzieć w domu i się modlić. Włosy mi zdążyły posiwieć. Czy to nie wstyd, że zaczynam w tym wieku? - spytała.

Klasnęłam w dłonie i zapewniłam ją, że nie powinna odczuwać wstydu, tylko dumę.

– Ale moja córka i inne dzieci będą się ze mnie śmiać - martwiła się.

– Musisz spróbować. Nie odczuwasz wstydu, kiedy

widzisz, jak twoja córka pisze, a ty wiesz, że nie potrafisz napisać nawet swojego imienia? Pomyśl tylko, będziesz mogła wysłać listy do krewnych i przyjaciół w Afganistanie, a ktoś im odczyta wieści od ciebie – starałam się ją przekonać.

Potem zaproponowałam, że będę jej towarzyszyć podczas zajęć, które zaczynały się tego samego popołudnia. Przyszła, zgodnie z obietnicą, mówiąc, że mąż się z niej naśmiewał. Nie miał pojęcia, że poślubił wielką pisarkę i myślicielkę, jak zauważył.

Udało nam się zebrać niewielką grupkę odważnych pionierek nauki, które krótko przed czwartą, jedna po drugiej, wsuwały się chyłkiem do klasy, gdzie rankiem uczyły się ich dzieci. Zakrywały usta czadorami, jakby przyłapano je na czymś niewłaściwym. Ponieważ nie było dostatecznie dużo miejsca, postanowiłyśmy prowadzić zajęcia dla dorosłych popołudniami, kiedy dzieci już się nie uczyły.

Niektóre kobiety nie powiedziały nic nawet swoim dzieciom. Wkrótce jednak wieść o lekcjach rozniosła się po obozie i ledwie Amina zaczęła rozdawać zeszyty, ołówki, temperówki i linijki, pojawiło się kilka dziewcząt, które wpadły rozchichotane do klasy. Amina kazała mi je wygonić i zamknąć drzwi.

Upłynęło trochę czasu, zanim kobiety zdobyły się na odwagę i poprosiły swoje dzieci o pomoc w odrabianiu zadanych lekcji. Niektóre sądziły, że skoro umieją podpisać się swoim imieniem, to nie muszą się już dłużej uczyć. Jakoś udało nam się je zatrzymać na zajęciach, częściowo dzięki nagrodom za dobrą naukę – kawałkowi mydła, paczce ryżu. Jeśli akurat nie poszły na wagary.

Lekcje były dla nas bardzo ważne, nie chodziło tylko o naukę pisania i czytania. Tłumaczyłyśmy kobietom, na czym polegają dostępne im metody antykoncepcji, przekonując, by nie rodziły tak dużo dzieci. Wstyd, który odczuwało w związku z nauką tyle kobiet, nigdy nie zniknął do końca, z czasem jednak zaczęło zgłaszać się do szkoły coraz więcej chętnych – przychodziły nawet babcie i siadały na maleńkich krzesełkach. Byłam z nich dumna i podejrzewałam, że na ich miejscu nie zdobyłabym się na taką odwagę.

*

Czasem miałam wrażenie, że trudniej ściągnąć do szkoły dzieci niż ich matki. Przyszła raz do mnie mała zapłakana dziewczynka i powiedziała, że jej ojciec – który służył u mudżahedinów jako żołnierz – bije ją za to, że chce dalej chodzić do szkoły. Najpierw spytałam matkę o pozwolenie, a potem poszłam pomówić z ojcem. Nosił na głowie biały turban i zachowywał się dziwnie od pierwszej chwili, gdy otworzył mi drzwi. Miałam na głowie niewielką chustę, on jednak nie spojrzał nawet na moją twarz, tylko odsunął się i oświadczył żonie:

– W drzwiach stoi jakaś kobieta.

Jego żona, w białej chuście na głowie, wpuściła mnie do maleńkiego pokoju, który dzielili z szóstką dzieci. Na ścianie wisiał kilim z wyhaftowaną modlitwą do Allaha.

Wyjaśniłam, że przyszłam z nim porozmawiać o jego najstarszej córce.

– Czego chcesz? – spytał ostro, wciąż unikając mego wzroku i nie proponując mi poczęstunku, jak nakazywał obyczaj.

– Twoja córka co dzień płacze, bo nie chcesz, żeby chodziła do szkoły. Musisz zrozumieć, że jeśli ją kochasz, powinieneś pozwolić jej na naukę. Jeśli się nie zgodzisz, by chodziła ze swoim rodzeństwem do szkoły, to zaszkodzisz nie tylko im, ale i sobie – starałam się tłumaczyć, choć mogłam równie dobrze przemawiać do glinianej ściany za jego plecami.

– Jestem muzułmaninem – oświadczył. – I chcę, by moje dzieci też były dobrymi muzułmaninami. Dlaczego nie uczycie w szkole tylko Koranu? Dlaczego uczycie innych rzeczy? Jesteście niewiernymi, a ja nie chcę, by moje dzieci stały się takie jak wy.

Pomyślałam o medresach, o których opowiadała mi babka w dzieciństwie i potem w Peszawarze – o szkołach męskich, gdzie uczono wyłącznie Koranu i skąd wywodzili się talibowie.

– Rodziny, które posyłają dzieci do szkoły, to też dobrzy muzułmanie. Wolno im uczyć się różnych rzeczy, nie tylko Koranu – przekonywałam.

Byłam na niego coraz bardziej zirytowana, nie tylko z powodu jego słów. Cały czas patrzył w ziemię, jakby brzydził się na mnie spojrzeć. Wiedział doskonale, że szanujemy muzułmańską kulturę. Nigdy nie pokazywaliśmy dzieciom filmów zachodnich na wideo, póki ich wpierw nie ocenzurowaliśmy. Jednym z najlepszych, jakie udało nam się zdobyć, była „Lista Schindlera", z której wycięliśmy scenę ukazującą kobietę i mężczyznę w łóżku. Gdybyśmy ją zostawili, dzieci opowiedziałyby o niej rodzicom, którzy zaczęliby się zastanawiać, co pokazujemy ich synom i córkom.

Lecz moje argumenty, że wiedza, w tym i wiedza o różnych kulturach, jest prawdziwą siłą, która stanowi dla jego córki szansę na lepszą przyszłość, nie przemawiały do niego.

– Jest moją córką i to ja będę decydował, jaka ma być jej przyszłość, jasna czy ciemna. Bardziej mi się przyda, jak będzie tkała dywany. A teraz możesz sobie już iść – warknął.

Rozgniewałam się.

– Przyszłam tu przez wzgląd na twoją córkę, a ty nawet nie wiesz, co jest dla niej dobre. Pragnie się uczyć i ma wielkie szczęście, że w obozie jest szkoła, ale ty chcesz zrobić z niej analfabetkę. Jeśli jeszcze raz zbijesz ją za to, że chce się uczyć, to usuniemy cię z obozu.

Byłam wściekła, że córka tego człowieka musi zapłacić tak wysoką cenę za jego przekonania. Przestała w ogóle przychodzić do szkoły.

Marzy mi się, by w każdym mieście Afganistanu, w każdej wiosce, ludzie mieli dostęp do biblioteki imienia założycielki RAW-y, Miny, i mnóstwa książek z każdej dziedziny nauki i literatury, w języku perskim i pusztu, książek, które będą dokumentowały artystyczną spuściznę Afganistanu, a także stanowiły świadectwo zbrodni popełnionych przez mudżahedinów i talibów.

Właśnie w obozie spotkałam pewną kobietę z prowincji Bamjan, która mieszkała tuż obok dwóch gigantycznych kamiennych posągów Buddy, ostrzelanych przez talibów z artylerii i całkowicie zniszczonych. „Budziłam się każdego ranka na głos mułły – opowiadała. – I każdego ranka mój wzrok zatrzymywał się najpierw na tych posągach. Przetrwały półtora tysiąca lat, a potem zniknęły. I nigdy już nie powrócą".

ROZDZIAŁ XVII

– Cyociu, potrzebuję nowej pary butów.

W drzwiach stał Szamms, dziecko, które kochałam najbardziej w całym obozie. Szamms to piękny, maleńki pięciolatek z plemienia Hazarów, najbardziej prześladowanego w Afganistanie. Ma blond włoski i skośne oczka, typowe dla swej grupy etnicznej. To jedyny chłopiec w dziewczęcym sierocińcu. Jest za mały, by przebywać z innymi chłopcami, są od niego znacznie starsi. Nikt mu jeszcze nie wyjaśnił, dlaczego musi być w sierocińcu, nikt nie powiedział, że jego rodzice zginęli, kiedy bomba zrównała ich dom z ziemią. Wydaje mu się, że czternaście dziewcząt z sierocińca to jego siostry, ale w rzeczywistości tylko jedna z nich jest jego prawdziwą siostrą. Widzę, że spędza z nią więcej czasu niż z pozostałymi.

Po śmierci rodziców Szammsa jego i o rok starszą siostrę przywiózł do obozu uchodźców ich osiemnastoletni brat. Powiedział nam, że nic nie ma i że nie może zaopiekować się rodzeństwem. Szamms wierzy, że kobieta z RAW-y, z którą mieszka, to jego matka.

– Ciociu, potrzebuję butów – powtórzył. – Do grania w piłkę.

Zawsze nazywa mnie „ciocią".

Szamms ponad wszystko w świecie kocha buty. Kiedy poszłam do wychowawczyni w sierocińcu, powiedziała, że ma już kilkanaście par. „Nie dawaj mu już żadnych", przestrzegła.

Wiem, że to marnotrawstwo, ale czasem nie potrafię mu odmówić. Jest przekonany, że dzięki nowej parze będzie mógł strzelić więcej goli i zagrać pewnego dnia w jakiejś drużynie kabulskiej – jeśli kiedykolwiek w Kabulu powstanie drużyna piłkarska – a może nawet w reprezentacji Afganistanu.

– No dobrze – powiedziałam. – Załatwię ci nowe buty. Potrzeba ci czegoś jeszcze?

Szamms patrzy nieśmiało i potrząsa głową. Zawsze go traktuję jak swojego zwierzchnika. Częstuję go nawet herbatą, kiedy puka do moich drzwi, co zwykle proponuje się wyłącznie dorosłym. Szamms zawsze odmawia.

Ponieważ darzę go szacunkiem należnym dorosłemu, Szamms sądzi, że nie zajmuję zbyt wysokiego miejsca w hierarchii obozowej. Przecież – myśli sobie zapewne – ważni ludzie to ci, którzy okazują mi więcej surowości. Kiedy do nas zachodzi, pyta zazwyczaj o Aminę, ponieważ uważa ją za naprawdę ważną osobę.

Szamms jest bystry i pogodny, właśnie zaczął naukę alfabetu, i bez przerwy przybiega do mnie, prosząc: „Ciociu, ciociu, mogę ci poczytać?". Potem wspina się na paluszki, by mnie pocałować, a ja mu mówię: „Pewnego dnia, Szamms, nie będziesz już chciał mnie całować". Zaczął też uczyć się angielskiego i nigdy nie ma oporów, by wstać w klasie, kiedy zjawia się ktoś z wizytacją, i powiedzieć: „My name is Shamms".

Ilekroć wyjeżdżam z obozu, staram się zawsze przywozić mu przybory do pisania, ponieważ uwielbia rysować. I kocha książki, których jeszcze nie może przeczytać. Potrafi przez całą godzinę bawić się podręcznikiem chemii, przewracając tam i z powrotem kartki, choć nie rozumie ani słowa.

Gdy tylko uda mu się zdobyć gdzieś jedną rupię, biegnie do sklepiku i kupuje cztery maleńkie petardy. Wydają paskudny dźwięk, zwłaszcza dla mieszkających w obozie uchodźców. Przeżyli strzelaninę i eksplozje w kraju, z którego uciekli, a teraz muszą znosić te nieszczęsne petardy. Przychodzą do mnie często na skargę, ale i ja muszę znosić ten hałas, kiedy staram się choć trochę pospać.

Raz oprowadzałam po obozie zachodniego dziennikarza, kiedy nagle pod stopami eksplodowała mu petarda. Podskoczył ze strachu, przekonany, że ktoś go postrzelił. Dostrzegłam stojącego nieco dalej w grupie dzieci Szammsa. Byłam na niego wściekła i wrzasnęłam: „Przestań, ty ośle!". Jest sprytny – nigdy nie daje się złapać z petardą w ręku, ale wiem, że to on.

Szamms uwielbia robić dużo hałasu. Kocha pieśni RAW-y i słucha ich na magnetofonie kasetowym na cały regulator. Jest jeszcze za mały, by wymawiać prawidłowo słowa, a co dopiero je zapamiętać, ale ilekroć go proszę, by coś zaśpiewał, zgadza się bez oporów i wymyśla nowy tekst. Kiedy jednak musimy odddać jeden z pokoi w sierocińcu świeżo przybyłemu do obozu uchodźcy, jak na przykład matce Nadżiba, Szamms szybko wyczuwa, że nie wolno mu denerwować gościa, i stara się zachowywać jak najciszej.

Czasem daję mu trochę pieniędzy, nie na petardę, tylko

na latawiec. Próbuje go puszczać na środku obozu, ale jest za mały i nie umie jeszcze sprawić, by wzbił się w powietrze albo utrzymał w górze. Po chwili na cienkim papierze pojawia się ogromna łza.

Nie chciałabym oddać takiego chłopca jak Szamms do adopcji. Otrzymujemy dużo zgłoszeń od amerykańskich i europejskich małżeństw, które chciałyby zapewnić naszym sierotom inne życie. Zgadzamy się jednak wyłącznie na adopcje pośrednie, kiedy rodzice pomagają wychować dziecko na miejscu, w obozie, by nie opuszczało swojego kraju. Te dzieci to przyszłość Afganistanu, są bardzo zdolne i jeśli wyślemy je na Zachód, ich talent zostanie wykorzystany właśnie tam, a nie w ojczyźnie. Jeżeli wkładamy tyle wysiłku w ich edukację, to dlatego, że pragniemy, by te dzieci zbudowały przyszłość Afganistanu. Nie możemy sobie pozwolić na stratę całego pokolenia.

Nawet gdyby Szammsowi dano szansę wyjazdu na Zachód i nauki – szansę, jaką dano i mnie, kiedy odwiedził nas kuzyn z Kanady – niechętnie bym się na to zgodziła. Gdyby spędził za granicą choć kilka lat i stracił kontakt ze swymi korzeniami, to być może nigdy już nie zechciałby wrócić do zakurzonej ziemi Afganistanu.

Niektórzy ludzie mi mówią, że małżeństwa z Zachodu potrafią otoczyć dzieci prawdziwie rodzicielską miłością. Lecz RAWA czyni to samo – jej członkinie są jak matki, a wspierający nas mężczyźni jak ojcowie. Mnóstwo dzieci trafia do rodzin w obozie i dorasta w nich, tak jakby zawsze stanowiły ich nieodłączną część.

*

Siedziałam właśnie z Aminą nad comiesięcznym sprawozdaniem finansowym - szło mi opornie, wciąż byłam kiepska z matematyki jak w szkole, poza tym wyłączyli tego wieczoru światło, musiałyśmy więc pracować przy świeczkach - kiedy ktoś zapukał lekko do drzwi.

Otworzyłam i ujrzałam na progu małą dziewczynkę.

– Chodź szybko – powiedziała. – Pewna kobieta chce się zabić.

Znalazłyśmy ją leżącą na podłodze, z głową w kałuży krwi i wymiocin. W kącie dostrzegłam miskę z wodą, w której moczyły się kawałki starego chleba, wyrzucone zapewne przez inną rodzinę.

Kobieta była zlana potem, choć na dworze panował chłód, skórę wokół oka miała zadrapaną i siną. Jak się okazało, opróżniła do połowy butelkę z trucizną na szczury. Zabrała ją karetka.

Dopiero w szpitalu, gdzie dochodziła do siebie po płukaniu żołądka, powiedziała nam, dlaczego chciała popełnić samobójstwo. Jej mąż Mohammed był nałogowym palaczem opium i choć nie mieli pieniędzy, nie pozwalał jej wychodzić z namiotu, w którym mieszkali, i próbował coś zarobić, a nawet żebrać o jałmużnę. Kiedy prosiła go o pieniądze na jedzenie, bił ją.

Wróciłam do obozu, by odszukać Mohammeda. Pochodził z prowincji Kunar na północy Afganistanu. Wyznał mi nie bez oporów, że odkrył narkotyki na targu Karkhano w Peszawarze, gdzie policja nie miała wstępu i gdzie spotykali się nałogowcy i zażywali heroinę.

– Poszedłem tam po miesiącu pracy w fabryce cegieł – powiedział Mohammed. – Męczył mnie taki ból w plecach, że nie byłem w stanie podnieść nawet jednej cegły i nie mogłem już tam pracować. Spotkałem pewnego dilera, a on poradził mi, żebym dał sobie spokój z szukaniem innej pracy. Pamiętam jego słowa: „Nigdy nie znajdziesz zajęcia w tym kraju i nigdy nie będziesz mógł powrócić do Afganistanu. Ale dam ci coś, co pozwoli ci zapomnieć o wszystkich kłopotach na tym świecie, to znaczy o pieniądzach, pracy i żonie".

Przerwał na chwilę, wspominając swój pierwszy raz.

– Wkroczyłem w inny świat – mówił dalej – piękny świat. Byłem taki szczęśliwy. Nie myślałem już o ubóstwie, nie zastanawiałem się nad tym, co będziemy z żoną jeść. Czułem wielką radość w sercu. Tak było przez dwie, może trzy godziny, potem znów tego potrzebowałem. Kiedy wróciłem do obozu, żona powiedziała, że nie ma niczego do jedzenia. A moje kieszenie były puste. Więc ją zbiłem.

Wracał na targ jeszcze tylko kilka razy, wkrótce jednak nie stać go już było na heroinę. Przerzucił się na opium. Nie miał pracy, w domu zabrakło jedzenia, a on wpadł w nałóg.

Spytałam, dlaczego nie pozwala wyjść żonie z domu.

– Bo to okryłoby mnie wstydem – wyznał. – Jak mogę pozwolić żonie, żeby wyszła i zdobyła pieniądze na moje opium, skoro sam nie mam na to siły?

Kiedy powtórzyłam Aminie, co mi powiedział, ogromnie posmutniała. Jej brat, który wciąż przebywał w Afganistanie, też był narkomanem, bo nie miał szans na naukę czy jakąkolwiek przyszłość. Ci dwaj ludzie byli jednymi z wielu tysięcy, wykorzystywanych przez afgańskich i pakistańskich baronów narkotykowych, którzy uprawiali swój proceder przy pomocy talibów. Za opłatą oczywiście.

Zorganizowałyśmy zbiórkę wśród członkiń RAW-y i zebrałyśmy dość pieniędzy na leczenie odwykowe dla Mohammeda. Potem wrócił za naszą namową do fabryki cegieł. Praca ta, choć bolesna, była jedyną, jaką mógł dostać.

*

Niewiele rzeczy w obozie złościło mnie tak bardzo jak ceremonie ślubne w najbiedniejszych rodzinach. Jedną z najbardziej dla mnie szokujących był ślub kilkunastoletniej dziewczynki, którą uczyła Amina. Matka też chodziła na zajęcia czytania i pisania, nie mogłyśmy więc odrzucić zaproszenia.

Nie miałam ochoty iść zwłaszcza dlatego, że dziewczynkę wydawano za mężczyznę starszego od niej o ponad trzydzieści lat. Rodzina była tak biedna, że w przededniu wesela musiała pożyczyć od nas trochę dywanów i innych rzeczy. Kiedy zjawiłyśmy się na uroczystości, okazało się, że rodzice zaprosili wszystkich krewnych, nie tylko z obozu, ale i z miasta, a ponieważ nie było dość miejsca w ich niewielkiej lepiance, trzeba było gości ulokować w domach sąsiadów.

Powietrze było ciężkie od woni pieczonej koziny i baraniny. Jedzenie kosztowało rodzinę mnóstwo pieniędzy, najęła również niewidomego mężczyznę, który śpiewał tradycyjne pieśni w takt melodii granej na dotarze, dwustrunowej lutni. Z powodu ślepoty wolno mu było śpiewać zarówno w pomieszczeniach przeznaczonych dla mężczyzn, jak i w wydzielonych pokojach dla kobiet. W tym konserwatywnym środowisku mężczyznom zakazywano patrzeć na tańczące kobiety.

Kiedy poszłam pogratulować pannie młodej, zobaczyłam, że ma na sobie czerwoną sukienkę przetykaną złotem, gruby makijaż i mnóstwo pierścionków i biżuterii. Amina, która uczyła obie, matkę i córkę, nadmieniła, że spodziewa się jej niebawem szkole.

– Przyrzeknij, że nie przestaniesz przychodzić na lekcje – prosiła.

Dziewczynka spojrzała zawstydzona.

– Nie wiem. To zależy od tego, co powie mój mąż – odparła.

– Nieprawda – przekonywała Amina. – To zależy tylko od ciebie, bo chodzi o twoją przyszłość.

Goście byli tak biedni, że mogli dać młodej parze w prezencie tylko dziesięć czy dwadzieścia rupii – na kilka jajek i trochę mleka. Uroczystości trwały trzy dni.

Tydzień później poszłyśmy zobaczyć się z matką. Rodzina tyle wydała na wesele, że kobieta nie miała nawet cukru do herbaty, którą nas poczęstowała.

Byłam zła na nią i rozczarowana.

– Matko, najpierw decydujesz się oddać młodą córkę staremu człowiekowi, a potem wydajesz na ślub tyle pieniędzy, że nie stać cię na cukier? – zdziwiłam się.

W jej oczach pojawiły się łzy.

– Nie miałam wyboru. Musieliśmy znaleźć kogoś, kto zaopiekuje się naszą córką. Mąż musiał się zapożyczyć, bo byłby wstyd, gdybyśmy wyprawili skromną uroczystość – odparła.

Pomyślałam o ślubie rodziców, o matce, która właśnie uparła się na skromną uroczystość. Zastanawiałam się, jak afgańska rodzina może wyprawiać tak huczne przyjęcie, kiedy w jej kraju codziennie eksplodują bomby.

Córka nie powróciła już do szkoły. Kiedy poszłyśmy ją odwiedzić, powiedziała nam, że jest w ciąży i że musi wpierw odchować dziecko. Mam nadzieję, że pewnego dnia podejmie naukę.

*

Nigdy nie chciałam patrzeć, jak umierają ludzie. Wydaje mi się, że mogłabym znieść niejeden widok, ale nie widok agonii czy martwego ciała. Czasem jednak nie mam wyboru i muszę złożyć kondolencje. Uchodźcy bardzo szybko straciliby dla nas szacunek, gdybyśmy uczestniczyli tylko w ich ślubach, a unikali pogrzebów. Byłoby to jak dzielenie się wyłącznie chwilami radości, udawanie, że smutne nie istnieją. Jednak za każdym razem jest mi niezwykle trudno.

Przebywając w jednym pomieszczeniu ze zwłokami, patrzę wszędzie – na żałobników, podłogę, ściany – tylko nie na ciało. Raz widziałam kobietę, która została poważnie zraniona w brzuch szrapnelem. Jej mąż poświęcił wszystko, co miał, by ratować ją w szpitalu w Pakistanie. Krzyczał z rozpaczy, kiedy lekarze próbowali ją ratować, a ja nie mogłam mu w żaden sposób pomóc. Potem widziałam jej zwłoki, nie zdołałam się jednak przemóc, by umyć je przed pogrzebem.

Innym razem wezwano nas do jednego namiotu w pewnym obozie, który akurat odwiedzałyśmy. Na podłodze leżał jakiś mężczyzna. Był bardzo chory i obwiązał sobie głowę sznurkiem, tak jak się to robi z nieboszczykami, by przytrzymać im szczękę. Zdjęłam z niego ten sznurek, a on mi powiedział: „Jestem chory i umieram, ale nie mam nikogo, kto by mnie obwiązał. Nie chcę umrzeć jak pies, więc sam to zrobiłem". Kiedy umarł kilka dni później, nie byłam w stanie pójść do jego namiotu, by go zobaczyć. Nie znoszę nawet widoku trupów w telewizji.

Wieczorami, jeśli mam tylko czas, chodzę po obozie i odwiedzam niektóre rodziny, by sprawdzić, czy im czegoś nie brakuje. Często ludzie są zbyt dumni albo nieśmiali, by zwracać się do nas o pomoc. Kiedy wiemy, że ktoś jest chory, same musimy dowiedzieć się u jego krewnych, jak się czuje. Raz włożyłam burkę, chcąc się przekonać, jak uchodźcy będą się zachowywać, kiedy nie poznają we mnie pracownicy obozu.

Zawsze wolę pojawiać się bez zapowiedzi, bo w przeciwnym razie rodzina, kierując się ogromnym poczuciem gościnności, przygotuje dla mnie posiłek, a ja nie chcę odejmować im jedzenia od ust. Wciąż nie mogę sobie darować, że raz z powodu zajęć zapomniałam, iż pewna kobieta w obozie zaprosiła mnie do swojego domu. Była biedna, przygotowała jednak drogi posiłek - kurczaka z ryżem. Ucałowałam potem jej dłoń, przepraszając za nieobecność, a ona mi wybaczyła.

Często przechodzę obok cmentarza obozowego. Są tam setki grobów wykopanych w ziemi i za każdym razem, gdy go mijam, wydaje mi się większy. Niektórzy zmarli pochodzą z rodzin tak biednych, że nie mają nawet drewnianej tabliczki z imieniem. Nigdy tam nie wchodzę, ale wiem, że gdybyśmy zaprzestały swej pracy, powiększyłby się natychmiast dwukrotnie.

Kiedy kładę się spać wczesnym rankiem, zawsze martwię się o życie swych przyjaciółek z RAW-y, zarówno w Afganistanie, jak i w Pakistanie. Wiem, że gdziekolwiek się znajdują, grozi im niebezpieczeństwo. Mój niepokój rośnie, gdy słucham przerażających opowieści uchodźców czy kobiet z organizacji. Jedna z nich opowiedziała mi po powrocie z Afganistanu, że widziała kobietę chodzącą po gruzach domu, który został zbombardowany. Po jednej stronie rumowiska leżała głowa jej syna, po drugiej reszta jego ciała. Próbowała pozbierać te szczątki. Nawiedza mnie w moich koszmarach. Nie jestem w stanie się poruszyć ani krzyczeć, kiedy ją widzę.

Nie wierzę, wbrew talibom, że śmierć może być błogosławieństwem, nie wierzę też w cnotę męczeństwa. Boję się umrzeć, ale tylko z jednego powodu: że nie pomogę należycie swoim rodakom i nie pozostawię po sobie znaczącego śladu. Nie chciałabym zginąć jutro w wypadku samochodowym. Kiedy widzę ocean cierpienia i smutku, jakie stały się udziałem mego kraju, mam wrażenie, że to, co robimy, to bardzo mało, mniej niż maleńka kropla wody. Muszę jednak kontynuować tę pracę, ponieważ w nią wierzę i ponieważ jestem przekonana, że ma ona ogromne znaczenie.

Czasem, po prostu z braku możliwości, jestem zmuszona odrzucić prośbę o pomoc. Nigdy nie zapomnę starej kobiety, która przyszła do mnie po ucieczce ze swej wioski w środkowym Afganistanie, gdzie toczyły się walki. Błagała mnie, by przyjąć ją wraz z pięciorgiem dzieci do obozu. Straciła męża i pochylając się do moich stóp, prosiła: „Przyjmij nas albo weź przynajmniej moje dzieci do sierocińca. Nie mogę ich wyżywić, są twoje".

Musiałam odmówić. Nie mogliśmy już przyjąć nikogo więcej do obozu, nie mieliśmy pieniędzy na codzienne wyżywienie, na leki i naukę dzieci.

Mogłam wziąć ją do swojego domu, raz nawet tak zrobiłam, ale byłoby to jedynie rozwiązanie tymczasowe. Kobieta nie gniewała się na mnie, czułam się jednak odpowiedzialna za jej dalsze losy. Nie wiem, dokąd się udała, mam nadzieję, że znalazła miejsce w innym obozie dla uchodźców.

CZĘŚĆ SZÓSTA

Za zasłoną

ROZDZIAŁ XVIII

Przeszłam przez niewielkie drzwi ambasady talibskiej w Islamabadzie, odszukałam sekcję kobiecą i stanęłam w długiej kolejce po paszporty. Zauważyłam w tym momencie napis na ścianie nad biurkiem pracownika. Był pięknie wykaligrafowany czarnym atramentem: „Kobieta w burce jest jak perła w muszli".

Przypomniałam sobie, jak się czułam, nosząc burkę w Kabulu, i zastanawiałam się, jak ktoś mógł dostrzec w tym jakąkolwiek poezję. Dla mnie jest to jak żywe ciało w trumnie. Ale przynajmniej talibowie nie mogli zakazać kobietom podróżowania poza granicami kraju.

*

Spakowałam paszport i burkę, kiedy po raz pierwszy wybierałam się do Ameryki.

Eve Ensler, autorka „Monologów waginy", zaprosiła przedstawicielkę RAW-y na spotkanie w Madison Square Garden w lutym 2001 roku. Organizował je Ruch V-Day, który walczy z przemocą wobec kobiet. Reprezentantki różnych stowarzyszeń z całego świata miały teraz szansę zabrać głos.

Widziałam wcześniej Nowy Jork na filmach pokazywanych w pakistańskiej telewizji, ale chodziłam po mieście oszołomiona. W moim kraju wszystko było zniszczone i zastanawiałam się, ile czasu jeszcze upłynie, nim w Kabulu powstanie przynajmniej jeden budynek przypominający choć trochę to, co tu zobaczyłam. Pomyślałam o energii i pracy, jakich wymagało stworzenie takiego ogromu, i uświadomiłam sobie, że musiałyby przeminąć wieki i że nigdy tego nie dożyję.

Drapacze chmur przypominały mi góry. Marzyłam, by i w moim kraju pewnego dnia powstała Statua Wolności, i by miała dla Afgańczyków takie samo znaczenie jak dla Amerykanów.

Dostrzegłam bogactwo towarów w sklepach (zapragnęłam kupić lekarstwa dla uchodźców i małe kamery dla naszych ludzi w Afganistanie), zadowolenie ludzi zajętych swoją pracą, którzy mogli się nie martwić o to, co podadzą tego wieczoru zaproszonym gościom, szczęście dzieci, które czekały lata szkoły, a potem studiów.

Spotkałam się z Eve Ensler i mieszkałam u niej w dniach poprzedzających spotkanie w Madison Square Garden. Rozpłakała się i uściskała mnie na przywitanie. Eve jest bardzo odważna i popiera całym sercem naszą sprawę. Poznałam ją w Pakistanie, zanim przekroczyła granicę w towarzystwie jednej z członkiń RAW-y, by pomówić z kobietami afgańskimi i zobaczyć tajne zajęcia z dziećmi. Potem napisała wiersz zatytułowany „Pod burką". Poprosiła, bym przywiozła swoją do Stanów, ponieważ chciała ją wykorzystać podczas mojego wystąpienia.

Poznałam też Jane Fondę i powiedziałam jej, jak bardzo podobał nam się w szkole jej film „Julia", jak inspirował moją pracę. Spytałam, czy nie chciałaby nakręcić filmu o Afganistanie, a ona odparła, że warto się nad tym zastanowić. Była dla mnie bardzo miła. Kiedy opowiedziałam jej, co się dzieje w moim kraju, rozpłakała się.

Gdy miałam wejść na mównicę, po odczytaniu przez Oprah Winfrey wiersza „Pod burką", zgasły wszystkie światła z wyjątkiem reflektora skierowanego prosto na mnie. Poproszono mnie, bym włożyła burkę. Blask reflektora przesączał się przez siateczkę na mojej twarzy. Poczułam w oczach łzy. Grupa wykonawców zaintonowała pełną smutku amerykańską pieśń, a ja miałam kroczyć jak najwolniej – jeden krok, potem pauza; i znów krok, potem pauza. Musiałam pokonać kilka stopni, ale z powodu burki i łez w oczach, które sprawiły, że materiał przykleił mi się do skóry, trzeba było mi pomagać.

Oprah ściągnęła ze mnie powoli burkę, która opadła na estradę. Po raz pierwszy w życiu przemawiałam do 18 000 słuchaczy, nie czułam jednak zdenerwowania. Było zresztą tak ciemno, że nikogo nie widziałam. Kiedy skończyłam, znów zabłysły światła i zobaczyłam, że ludzie podnieśli się ze swych miejsc i biją mi brawo na stojąco. Byłam szczęśliwa, że okazują swą solidarność, lecz najbardziej zależało mi na tym, by zainspirować ich do niesienia nam pomocy.

*

11 września 2001 roku. Dotarłam na lotnisko w Islamabadzie, towarzyszyła mi przyjaciółka z RAW-y Saima i jeden z naszych sympatyków, pełniący funkcję ochronia-

rza i kierowcy. Miałam lecieć do Hiszpanii, by wziąć udział w kilku konferencjach jako przedstawicielka RAW-y.

Kiedy weszliśmy do głównego holu, od razu zauważyłam ludzi skupionych wokół telewizorów, które wisiały pod sufitem. Nikt się nie odzywał. Podeszłam bliżej i przeczytałam słowa komunikatu: CNN – atak na Amerykę. Na ekranie widać było tylko kurz, kłęby kurzu. Po chwili ukazał się obraz bliźniaczych wież.

Tyle razy byłam świadkiem przemocy i terroru w moim kraju, ale nigdy nie pokazywano tego w telewizji, jak teraz. Zobaczyłam mężczyznę skaczącego z okna którejś wieży. Był to koszmar – wyobraziłam sobie, że jestem w tej wieży, która wydawała mi się niebotyczną górą. Usłyszałam w wiadomościach, że jakiś człowiek dzwonił do swej matki, szukając jej, i od razu pomyślałam o swoich rodzicach. Wyobraziłam sobie, że samoloty uderzające w wieże to bomby spadające na nasz schron pod domem w Kabulu czy też inne kryjówki, gdzie ludzie czuli się bezpieczni.

Komentator wspomniał, że z atakiem może być powiązany Osama bin Laden.

Poszłam zatelefonować do jednego z lokali RAW-y. Spytałam, czy oglądali CNN albo BBC. Odpowiedzieli, że telewizor jest akurat wyłączony. Powiedziałam, żeby natychmiast go włączyli i że zadzwonię później. Nie wiedziałam, czy powinnam w tej sytuacji kontynuować podróż.

Wszyscy byliśmy przekonani, że za atakami stoi Osama bin Laden.

– Jeśli to bin Laden, to Ameryka weźmie odwet – zauważyłam.

Saima przytaknęła.

– I będzie to straszne dla wszystkich, dla każdego

w Afganistanie. Ameryka nie zdoła go zlikwidować w jeden dzień.

– To jest jak awantura rodzinna – powiedziałam. – Bin Laden pozostawał przez wiele lat na usługach CIA, kiedy pomagali mu walczyć z Rosjanami, a teraz zbuntował się przeciwko Ameryce, która jest rozwścieczona. Ale wielu naszych rodaków zapłaci za to wysoką cenę.

– A potem? – spytała Saima. – Jeśli Ameryka zaatakuje talibów i stracą władzę, to co będzie?

Nikt z nas nie znał odpowiedzi na to pytanie.

RAWA poleciła mi kontynuować podróż. Usiadłam w samolocie, rozmyślając o ludziach, którzy przebywali w tych wieżach, o tym, co chcieliby przekazać swym rodzicom albo dzieciom, gdyby wiedzieli, co ich czeka. Starałam się właśnie zapanować nad strachem, jaki mnie ogarnął przed lotem – zawsze mam lekką klaustrofobię w samolocie – kiedy obok mnie usiadło jakieś małżeństwo. Oboje w średnim wieku, ubrani w dżinsy i t-shirty. Nie rozmawialiśmy ze sobą, ale domyśliłam się po ich akcencie, że to Amerykanie.

– Ci Afgańczycy – zwrócił się mężczyzna do żony. – Jak możemy im na coś takiego pozwalać?

– Bush nie powinien się wahać, tylko ich zbombardować – odparła.

Siedziałam cicho, zastanawiając się, jakby zareagowali, gdybym im powiedziała, że jestem z Afganistanu, że nigdy nie popierałam bin Ladena i że nienawidzę go tak samo jak oni. Rzeka czerwona od krwi oddzielała niewinnych ludzi Afganistanu od garstki terrorystów. Chciałam im powiedzieć, że bin Laden był kiedyś służalcem Ameryki i bojowników mudżahedińskich, których popierała, że nie chciałabym, aby bin Laden i mułła Omar – duchowy lider talibów, który lubi, gdy go nazywa Amir-ul Mominеen, Dowódca Wiernych – zginęli od razu. Najpierw obwoziłabym ich w klatce po najsłynniejszych ogrodach zoologicznych świata, tak aby ludzie mogli się przekonać, jakie z nich dzikie bestie.

Nie odezwałam się jednak. Próbowałam skoncentrować się na filmie, który właśnie wyświetlali – z wszystkich możliwych filmów wybrano komedię z Jasiem Fasolą.

Lecz na lotnisku w Dubaju, kiedy miałam się przesiąść na inny samolot, zostałam zatrzymana podczas kontroli paszportowej. Mężczyzna za kontuarem wpatrywał się dłuższą chwilę w paszport, który wydała mi ambasada talibska. Na obwolucie widniał napis: Islamskie Emiraty Afganistanu.

– Kogo chce pani odwiedzić w Hiszpanii? – spytał, obracając w dłoniach mój paszport.

– Rodzinę. Moja ciotka mieszka w Madrycie – skłamałam.

Ta odpowiedź go nie przekonała.

– Proszę zaczekać, muszę na chwilę zabrać pani paszport – oświadczył.

Piętnaście minut później wrócił z paszportem, który mi zwrócił.

– Przykro mi – powiedział. – Lot został odwołany, nie ma innego samolotu. Będzie musiała pani zaczekać co najmniej trzy dni, zanim znajdzie się jakieś wolne miejsce. Jeśli jest pani gotowa czekać...

Teraz on kłamał.

– Dlaczego nie mogę lecieć? – dopytywałam się. – Z powodu paszportu?

– Przykro mi. Nie mogę nic zrobić, otrzymaliśmy instrukcje, by zachować ostrożność w przypadku pasażerów narodowości afgańskiej. Tylko tyle mogę pani powiedzieć – odparł.

Nagle mój paszport i narodowość stały się kłopotliwym balastem, choć nie ponosiłam za to żadnej odpowiedzialności. Nie pozostało mi nic innego jak tylko znów zadzwonić do RAW-y i złapać powrotny samolot.

Czekając na lot, spędziłam godziny na oglądaniu CNN. Czułam, że Afgańczycy, za sprawą swych cierpień, najlepiej i najpełniej rozumieją ból ludzi w Nowym Jorku i Waszyngtonie.

Patrzyłam na archiwalne zdjęcia bin Ladena. To, jak się ubierał, jak siedział w milczeniu ze spuszczonym wzrokiem i mistycznym wyrazem twarzy – dowodziło, że chce odgrywać rolę proroka.

Kiedy wróciłam do Islamabadu, zastałam Mehmudę pogrążoną w głębokim smutku. Siedziała jak zwykle od wielu godzin przy komputerze, przyjmując e-maile z całego świata, i piła kawę, by zachować energię przez całą noc – opłaty za połączenia telefoniczne są wtedy najniższe.

– Większość to wyrazy poparcia, ale nie wyobrażasz sobie, ile jest też gróźb pod naszym adresem – poinformowała mnie Mehmuda. Pokazała mi kilka, były pełne obelg, ale najgorsze, że pochodziły często od ludzi, którzy wcześniej nas popierali. Oświadczali, że nie będą już zbierać funduszy na rzecz RAW-y, gdyż nienawidzą Afganistanu. Około dziesięciu procent e-maili, jakie otrzymaliśmy po 11 września, było zdecydowanie wrogich, z tego wiele nieprzyzwoitych.

Jakiś człowiek pisał: „Niedługo ludzie będą mówić: Wiecie, były kiedyś góry w Afganistanie". Inny, który podpisał się „Lee", oświadczył: „Wynoście się z tego waszego głupiego kraju, póki jeszcze możecie. My (USA) zniszczymy was bombą atomową. Powinniście pozbyć się tych idiotycznych zawojów na głowach i przyłączyć się do normalnego świata, wy szmaciarze".

– Co mam robić? – spytała Mehmuda.

– Udzielić odpowiedzi. Niech będzie możliwie łagodna. Prześlijmy ją, komu się tylko da – zaproponowałam.

Mehmuda napisała przesłanie, w którym tłumaczyła ludziom, że rozumiemy ich gniew w takiej chwili, że też jesteśmy zaszokowane atakiem i dzielimy ból i smutek z narodem amerykańskim. Podkreśliłyśmy, że my także jesteśmy ofiarami talibów, których nazwaliśmy „garstką okrutnych podludzi", i innych muzułmańskich fundamentalistów w Afganistanie.

Polityka zagraniczna Stanów też nie była bez winy. „To rząd USA stworzył, szkolił i wspierał najniebezpieczniejsze grupy islamskie w Afganistanie i gdzie indziej" – tak kończył się nasz e-mail.

Wielu ludzi przesłało nam odpowiedź, przepraszając za wcześniejsze słowa.

*

– Kolejna bomba spadła niedaleko stąd, ale nie martwcie się, wszyscy żyjemy.

Głos Szabnam był niewyraźny, na linii z Kabulem słychać było trzaski. Przez półtorej godziny próbowałam się z nią połączyć z Peszawaru. Była jedną z naszych przedstawicielek w stolicy. Szabnam powiedziała mi, że zginęło już kilku cywilów, i obiecała przesłać jak najszybciej zdjęcia zniszczeń. Później połączenie zostało przerwane.

Poprzedniej nocy siedziałam do drugiej w nocy,

oglądając smugi świetlne przecinające ekran telewizora, kiedy Amerykanie rozpoczęli ofensywę. Wpatrywałam się w ekran, ale oczami wyobraźni widziałam przyjaciółki w Kabulu tak wyraźnie, jakby stały przede mną.

W lokalu RAW-y, gdzie mieszkałam w tym czasie, oglądałyśmy CNN od wczesnych godzin rannych do późnej nocy.

Potem dowiedziałam się od jednej z naszych kobiet, która zdołała dotrzeć do granicy i przejść na teren Pakistanu, że na samym początku ofensywy załoga jakiegoś samolotu wzięła omyłkowo cysternę z wodą – była susza, a ciężarówka stała w centrum Kabulu – za cysternę z benzyną i zrzuciła bombę, która zniszczyła pięć domów.

Waszyngton nie mógł uderzać wyłącznie w bin Ladena. Najpierw musiało umrzeć wiele niewinnych.

*

Matka winiła siebie, choć niesłusznie. Powtarzała w kółko, że na zmianę z mężem nieśli nocą kilometrami sześcioletniego synka przez góry – mogli wędrować tylko po zmroku, chcieli w ten sposób uniknąć talibskich posterunków – i że poczuła się zbyt zmęczona i słaba, by nieść go dalej, więc postawiła go na wąskiej ścieżce i kazała iść przed sobą. Ścieżka biegła obok przepaści i w pewnym momencie matka zobaczyła, jak chłopiec potyka się i znika w dole. „Byłam samolubna i to jest moja kara", oświadczyła, siadając na podłodze mojego domu w obozie uchodźców. Uzbeczka uciekła z rodziną do Afganistanu, kiedy mułła Omar ogłosił dżihad, czyli świętą wojnę z Ameryką, i rozkazał, by każda rodzina wyznaczyła jednego mężczyznę do walki. Pakistan czym prędzej zamknął granicę ze swym sąsiadem, by powstrzymać Afgańczyków przed masową ucieczką z kraju.

Nie było dla tej pary miejsca w obozie, w ciągu minionych kilku tygodni przybyły tłumy uchodźców, więc Amina zaprosiła ich do siebie. Plastikowe buty kobiety, związane byle jak sznurkiem, były w strzępach, stopy miała poranione od długiego marszu. Wszystkie pieniądze wydała na podróż. Poprosiła, by pomóc jej znaleźć pracę przy tkaniu dywanów, a mężowi zajęcie w fabryce cegieł.

Początkowo pragnęła pozostać w górach i poszukać zwłok syna, lecz mąż powiedział, że to zbyt niebezpieczne i że muszą iść dalej. Nie wierzył, by chłopiec mógł przeżyć taki upadek.

ROZDZIAŁ XIX

Od wielu dni słuchałyśmy krzyków, tupotów i uderzeń dochodzących z sali szkolnej, gdzie ćwiczyły dziewczęta. „Wszystkie jesteście niewierne!", dobiegało najczęściej zza drzwi, kiedy przechodziłam obok, przygotowując się do wizyty delegacji parlamentarzystów europejskich. Czasem mi się wydawało, że dziewczęta są bardziej zajęte od nas.

Ani mnie, ani Aminie nie wolno było wchodzić do sali, gdzie odbywały się próby. Mały Szamms, który zdołał się wkręcić między dziewczęta i uczestniczyć w przygotowaniu sztuki, którą miały wystawić dla gości, zawsze mnie ostrzegał, bym trzymała się z daleka. Dziewczęta, które znał jako swoje siostry, chciały dać mu jakąś rolę w przedstawieniu, ale ciągle zapominał tekstu. Urywał nagle w połowie zdania i pytał: „Co mam mówić dalej?", dały więc sobie spokój i powierzyły mu funkcję asystenta.

Dziewczęta miały od siedmiu do czternastu lat. Pochodziły z bardzo biednych rodzin, ale nie brakowało im różnych pomysłów. Bezustannie, nawet kilka razy dziennie, przysyłały do nas Szammsa po różne rekwizyty do przedstawienia.

Kiedy zjawił się już po raz któryś - wiedział, że mnie zastanie, ponieważ widział moje buty przed drzwiami - spróbowałam połechtać jego próżność.

– Przyznaj się, że to ty jesteś odpowiedzialny za całe przedstawienie, co?

Wyglądał na zadowolonego, ale potrząsnął przeczącą głową.

– Nie, nie, starsze dzieci - sprostował.

– Jestem pewna, że bez ciebie nic by z tego nie wyszło - nie dawałam za wygraną.

Szamms pognał przed siebie, z trudem kryjąc szeroki uśmiech.

Dziewczęta pożyczyły od tradycyjnie nastawionych rodzin turbany, prócz tego chłopięce stroje, a także bat, który zrobiłyśmy z plastiku, i linę. Za każdym razem musiałam składać pisemne zamówienie na małej kartce, którą dostawał Szamms. Nie umiał jeszcze czytać, ale szybko uświadomił sobie, jaką władzę dają mu te skrawki papieru. Składał je starannie na pół i umieszczał w kieszeni na piersi. Uwielbiał odgrywać Bardzo Ważną Osobę.

„Starsze dzieci" zgłosiły nawet zapotrzebowanie na tuzin kałasznikowów. Napisałam do jednego ze strażników obozowych, by pożyczył maluchom jeden automat i by zechciał się przy okazji upewnić, że nie ma w magazynku naboi. Jeden egzemplarz musiał im wystarczyć, chodziło tylko o symboliczne znaczenie.

– Jesteś zadowolony, Szamms? - spytałam go któregoś dnia. - Wszyscy traktują cię z szacunkiem?

– Tak - odparł, wypinając z dumą małą pierś.

– Cieszysz się pewnie, że znalazłeś kogoś takiego jak ja, kogo możesz codziennie wykorzystywać, co?

Szamms zignorował moje słowa i poinformował, że „starsze dzieci" potrzebują dorosłego, który będzie przygrywać dziewczętom do śpiewu na organach elektronicznych. Mężczyzna ów miał co innego na głowie, ale w końcu ustąpiłam i poprosiłam, by przyszedł.

W dniu przyjazdu delegacji dziewczęta ogarnęła prawdziwa gorączka. Gdy tylko usiadłyśmy z Aminą w towarzystwie gości, by porozmawiać o sprawach obozu, do drzwi zapukał Szamms i szybko zbliżył się do mnie.

– Ciociu, kiedy oni przyjdą do naszej szkoły? – spytał szeptem.

Odesłałam go czym prędzej, ostrzegając przy tym surowo, że jeśli jeszcze raz ośmieli się nam przeszkadzać, to naskarżę na niego wychowawczyni.

Późnym popołudniem, kiedy wciąż oprowadzałam członków delegacji po obozie, mieli już bardzo mało czasu. Nie mogli pozostać dłużej, ponieważ się ściemniało, a w Peszawarze nie było bezpiecznie jeździć po nocy. Chciałam im pokazać jeszcze mnóstwo rzeczy, ale postanowiłam zabrać ich na przedstawienie. Dzieci byłyby ogromnie rozczarowane, gdybym nie przyprowadziła gości.

Przy wejściu do szkoły napotkaliśmy stojące w dwóch rzędach dziewczynki, które na znak powitania obsypały nas płatkami kwiatów. Zajęliśmy miejsca – niewielkie krzesełka przyniesione z klas – przed samą sceną wzniesioną z wyschniętego błota. Kiedy padało, scenę trzeba było naprawiać.

Wokół kręcił się zaaferowany Szamms. Miał na sobie czyste, wyprasowane ubranie, wziął też prysznic, nie zapominając o umyciu włosów. Dostrzegłam, że przesuwa starannie grzebykiem po przedziałku, i złapałam go.

– Za chwilę zaczniesz się perfumować – zauważyłam złośliwie. – Zachowujesz się jak dziewczyna. Nie zapominaj, że jesteś chłopcem.

Skrzywił się tylko i uciekł. Podeszłam do sceny i próbowałam zajrzeć za kurtynę. Zdążyłam dostrzec tylko jakieś brody i czadory, zanim dziewczynki mi przeszkodziły, mówiąc, że nie wolno patrzeć. Obiecałam, że nie będę tego robić, ale domagałam się, by mi zdradziły, co zamierzają wystawić. Musiałam ze względu na brak czasu odwołać kilka skeczy, piosenek i recytacji ku ich nieskrywanemu niezadowoleniu.

Po długiej chwili ukazała się dłoń, która odchyliła zasłonę, i zaczęło się przedstawienie. Jedna z dziewczynek wygłosiła krótką mowę, dziękując zagranicznym gościom za przybycie do obozu. Znów chwila długiego oczekiwania, a potem zza kurtyny dobiegły głośne uderzenia.

Uświadomiłam sobie nagle, że nie mam pojęcia, co za chwilę zobaczymy. Żałowałam, że nie byłam na próbie generalnej.

Ukazał się Osama bin Laden – czy raczej dziewczynka ubrana w białą szatę, typową dla Arabii Saudyjskiej. Miała przyklejoną do policzków brodę wyciętą z czarnej torby na śmieci. Bin Laden milczał, wpatrując się w scenę, wokół stali wierni talibowie w swych turbanach i, podobnie jak on, brodaci. Stroje dziewcząt były brudne, jak to u talibów. Jeden z nich trzymał kałasznikowa. Było widać, że dziewczynka wyraźnie boi się tej broni.

Kiedy jedna z dziewcząt zaczęła tłumaczyć gościom tekst, talibowie wtargnęli do klasy, w której dzieci uczyły się angielskiego.

– Co to jest? – zakrzyknęli głębokim głosem, a jeden z nich trzymał podręcznik do góry nogami, co sugerowało, że jest analfabetą. – Czego was uczą? Chcecie stać się niewiernymi? Chcecie zostać ladacznicami?

Talibowie aresztowali dzieci, ich rodziców i nauczycielkę, a potem zawlekli przed oblicze bin Ladena.

– Zetnijcie im głowy – rozkazał, nie podnosząc nawet wzroku.

Jednak nauczycielka razem z dziećmi ruszyła do walki – ciągnęły przeciwników za brody, kopały ich i policzkowały. Na brzuchach talibów eksplodowały torby z czerwonym atramentem, wszystko jednak wyglądało dość realistycznie.

Kiedy talibowie uświadomili sobie, że zostali pokonani, zwrócili się przeciwko bin Ladenowi, krzycząc na niego: „Wynoś się z naszego kraju!". Uciekł upokorzony ze sceny, a długa szata plątała mu się wokół nóg.

Po kilku pieśniach i wierszach wymierzonych w talibów i ich fundamentalistycznych wrogów z Sojuszu Północnego kurtyna zsunęła się przy głośnym aplauzie widzów. Byłam dumna z dziewcząt, ponieważ same wszystko przygotowały. Przedstawienie, choć dziecięco naiwne, stanowiło potężne przesłanie oporu i protestu przeciwko terroryście, którego Zachód ochrzcił mianem najbardziej poszukiwanego człowieka na świecie. Nawet talibowie, gdyby zostali pokonani, pozbyliby się go jak najszybciej, dowodziły dzieci.

Przez wiele dni dziewczęta miały na policzkach czarne smugi. Klej, którego użyły, był tak mocny, że zszedł dopiero po długim czasie.

*

Nikt w naszym obozie nie martwił się porażką talibów, ale nikt też nie wznosił okrzyków radości, kiedy talibowie uciekali z Kabulu, a stolicę przejęli bojownicy Sojuszu Północnego, utworzonego z kilku frakcji fundamentalistycznych mudżahedinów. Ludzie w obozie kiwali głowami, jakby ktoś im zmarł w rodzinie. Wszyscy wiedzieliśmy, że choć przywódcy Sojuszu mówią teraz o demokracji, wolnych wyborach i prawach kobiet, są tymi samymi ludźmi o dłoniach splamionych krwią, którzy bombardowali i torturowali swoich rodaków na początku lat dziewięćdziesiątych.

Rozmawiałam z trzema wdowami, które mieszkały razem w obozie. Wszystkie straciły mężów za panowania mudżahedinów. „Co mamy teraz robić? – pytały. – Straciłyśmy już wszelką nadzieję, że któregoś dnia ujrzymy jeszcze swe domy". Liczyły na powrót wygnanego króla Muhammada Zahira Szaha.

Nikt nie mówił o powrocie do Afganistanu. Kilku mężczyzn z plemienia Hazarów – do którego należy Szamms – oświadczyło, że jeśli wrócą teraz do Kabulu, to ludzie z Sojuszu Północnego wyłupią im oczy albo zetną głowy przy zastosowaniu techniki „tańczących zwłok". Niektórzy uchodźcy wierzyli, że skoro cały świat patrzy teraz na Afganistan, to może zbrodnie się już nie powtórzą.

W ciągu tych dni do obozu przybyło jeszcze więcej uchodźców – przetrwali amerykańskie naloty, ale uciekli, gdy tylko pojawili się dowódcy afgańscy. Nie zapomnieli tego, co działo się kilka lat wcześniej, i bali się, że ich córki zostaną zgwałcone.

Nie wierzę – bez względu na składane obietnice – że Sojusz Północny zaprowadzi w moim kraju pokój i demokrację. Jedynym celem poszczególnych ugrupowań jest zdobycie władzy wyłącznie dla siebie. Żadne nie chce się nią dzielić. Najprawdopodobniej wybuchnie wojna domowa. Tylko siły Narodów Zjednoczonych mogłyby położyć kres walkom w moim kraju, rozbrajając dowódców wojskowych i nadzorując wolne wybory. I tylko demokratyczny, świecki rząd zagwarantuje przestrzeganie praw człowieka, w tym także praw kobiet.

*

Jest taka bardzo stara ludowa pieśń afgańska w języku pasztu, którą zawsze lubiłam. Jej refren głosi: „Jestem gotowa umrzeć za ukochanego, ale chcę, by mój ukochany był gotów umrzeć za mój kraj".

Byłam zdumiona, kiedy się dowiedziałam, że Farah, która chodziła ze mną do szkoły, a potem wstąpiła do RAW-y, ma poślubić chłopca wybranego jej przez ojca. Gdy mi powiedziała o zaręczynach, nie mogłam uwierzyć. Chłopak uczył się w medresie, nie mówiąc już o tym, że ledwie go znała.

– Jak możesz to robić? – spytałam. – Uczy się w medresie. Wiesz, co to znaczy?

– Rodzice mu każą – odparła po prostu Farah.

Przyszło mi do głowy, że miłość – choć w tym wypadku wątpiłam, czy rzeczywiście o nią chodzi – to nie wszystko.

– Skąd wiesz, czy ten chłopak będzie cię szanował, skoro chodzi do takiej szkoły? Zapomniałaś już, czego cię uczono i co ty sama przekazywałaś naszym rodakom? Nigdy się tego po tobie nie spodziewałam.

Milczała.

Nie mogło być większej przepaści między tymi dwoma

światami – światem chłopięcej medresy i światem kobiecych praw i wolności, które Farah poznawała w swym nastoletnim życiu. Powinna przynajmniej wiedzieć, że to ona sama ma prawo wybrać sobie męża, a nie jej ojciec.

Farah zdradziła swe przekonania. Być może zmęczyła się już pracą, a może nie chciała dłużej ryzykować i pragnęła normalnego życia z domem, mężem i dziećmi.

Nie chcę urodzić dziecka. Jeśli życie i obóz czegoś mnie nauczyły, to tego, że można kochać dziecko, nawet gdy nie pochodzi z naszego łona. Nie jest istotne, czy ma moją krew – ważne jest to, że wychowuje się je odpowiednio i kocha. Na świecie żyje tyle osieroconych i porzuconych dzieci, których jedynym domem jest ulica. Być może adoptuję jedno z nich.

*

Nigdy nie widziałam, by Szamms płakał. Nadal nie wie, że jego rodzice nie żyją, i nigdy nie pyta, co się z nimi stało. Lecz dwie nauczycielki widziały parę razy, jak płakał w łóżku. Pytają zawsze, dlaczego płacze, ale nie chce im powiedzieć. Boimy się, że spyta o rodziców, i mamy nadzieję, że jeszcze przez jakiś czas tego nie zrobi.

Pewnego dnia powiemy Szammsowi prawdę o jego ojcu, matce i czternastu siostrach. Być może mnie przypadnie ten obowiązek, kiedy chłopiec skończy jakieś dziesięć lat. Nie mam pojęcia, jak to zrobić. Może powiem, że wielu ludzi straciło w czasie wojny swych rodziców i że choć oni nie powrócą, to jednak możemy odzyskać nasz kraj. Albo powiem mu o swoich rodzicach, o przykładzie, jaki mi dawali. Nigdy jednak nie zapomnę, że miałam dużo szczęścia i że spędziłam z nimi znacznie więcej czasu niż on ze swoimi, że czerpałam od nich więcej nauk niż on od swoich i że zawsze miałam babkę.

Trzymam w swoim pokoju białą koszulę nocną matki. Czasem ją wyjmuję i przytulam do twarzy. Nigdy nie wybaczyłam ludziom odpowiedzialnym za śmierć moich rodziców i tylu innych. Nie mogę nawet sobie wyobrazić, bym mogła to kiedykolwiek uczynić. Gdyby sprawcy mieli stanąć przed sądem, to chciałabym, by zostali ukarani nie tylko za śmierć moich rodziców, ale również za wszystkie zbrodnie, jakich się dopuścili wobec mojego kraju.

Kiedy wspominam ojca i matkę, myślę też o tym, jaką pragnęli mnie widzieć. Nie chcieli, by ich córka myślała tylko o sobie. Czasem żałuję, że nie mogę im pokazać tego wszystkiego, co robię. Wiem, że nie uczyniłam jeszcze zbyt wiele w swym życiu, czasem mnie to smuci i mam tylko nadzieję, że osiągnę więcej w przyszłości.

Cieszę się jednak, że nigdy nie byłam sama. Kiedy straciłam rodziców, była przy mnie babka, która teraz przeprowadziła się do obozu dla uchodźców, gdzie czasem pracuję. „Nie chciałam zostać sama w pustym domu", wyznała mi po przyjeździe.

Jest już po siedemdziesiątce. Wciąż czyta Koran i modli się, używając tego samego różańca co przed laty, kiedy byłam jeszcze dzieckiem. Jednak z powodu bólu, jaki odczuwa w plecach i stopach, nie ma już dość sił, by wstawać podczas modlitwy, więc kołysze się w przód i w tył, dotykając dywanika czołem.

Kiedy jestem nieobecna przez kilka tygodni, bardzo źle sypia. Złości się, kiedy wracam, i nie odzywa do mnie, by mi okazać swój gniew. Jest bardzo słaba i zmęczona. Popłakuje trochę i mówi, że jeśli nie może mnie częściej widywać, to woli umrzeć. Chciałaby mnie widzieć co tydzień.

Przepraszam, mówię, że ją kocham i że nie mogę przerwać swej pracy. Po krótkiej chwili zaczyna się uśmiechać i prosić Allaha, by mi wybaczył to, na co ją narażam. Przyciąga mnie do siebie, bym mogła złożyć głowę na jej kolanach, i zaczyna masować mi skronie. Wciąż mam ten czerwony nożyk, który mi dała, kiedy obchodziliśmy moje urodziny w schronie. Gdy tylko mogę, przynoszę jej trochę perfum.

Nie mogę sobie wyobrazić innego życia. Kiedy jadę na polecenie organizacji do Kabulu czy gdziekolwiek indziej, to nie dlatego, że muszę, ale dlatego, że wierzę w to, co robię. Długo się zastanawiałam nad wyborem takiego życia i nie zmienię swej decyzji.

Nauczyłam się żyć ze strachem. Człowiek, który wie, że bezustannie grozi mu niebezpieczeństwo, przestaje go odczuwać.

Wyjeżdżając na Zachód, nigdy nie zapominam, że moim przyjaciołom grozi niebezpieczeństwo. Tak bardzo się martwię, jestem tak smutna i przygnębiona, że nigdy nie potrafię się cieszyć widokiem nowych, nieznanych miejsc. Wiem, że są piękne. W dzieciństwie czytałam o starożytnym Rzymie i pamiętam, że oglądałam zdjęcia Koloseum. Odwiedziłam Włochy sześć razy, ale nigdy w nim nie byłam. Chciałabym pójść, ale jeszcze nie teraz.

Wydawało mi się przed wyjazdem z Afganistanu, że moja przyszłość jest mroczna, że nie ma nadziei na lepsze życie ani dla mnie, ani dla mojego kraju. Sądziłam, że moi rodacy są wyczerpani po tylu latach cierpień. Wygnali Rosjan, ale nie mieli już siły powstać przeciwko fundamentalistom. Lecz szkoła, do której chodziłam, dała mi nadzieję, nauczyła, że wykształcenie i poszanowanie praw zarówno mężczyzn, jak i kobiet, może odmienić społeczeństwo.

Mam tylko dwadzieścia lat i najbardziej w świecie pragnę, by do mojego kraju powrócił pokój. Zastanawiam się, czy po dwudziestu z górą latach wojny w Afganistanie świat naprawdę zrozumiał, czym jest fundamentalizm; czy znów usłyszę kroki obcych wojsk wkraczających do mojej ojczyzny, terkot kałasznikowa, płacz ludzi. Wiem jednak, że nigdy nie stracę nadziei i że będę nadal walczyła o ideały, w które wierzę, ideały, za które Mina, założycielka RAW-y, oddała życie.

Jeśli powróci pokój, chciałabym przejść się zniszczonymi ulicami Kabulu, poczuć słońce na twarzy niezakrytej burką. Pomyślałabym wtedy nie o przeszłości, lecz o przyszłości. Pokazałabym Szammsowi ulice mego dzieciństwa, zaprowadziła go do swojego domu i nauczyła, jak się puszcza latawiec z dachu. I zażartowałabym sobie z niego, gdyby wyrwał mu się z dłoni i poszybował wysoko ponad góry.

POSTSCRIPTUM

Po raz pierwszy spotkaliśmy się z Zoją w małym hoteliku niedaleko Watykanu, gdzie zatrzymała się wiosną 2001 roku. Rita czytała o niej wcześniej i odnalazła ją w Pakistanie dzięki Amnesty International i Emergency, włoskiej organizacji humanitarnej, która pomaga ofiarom wojen.

Otrzymaliśmy zgodę na wywiad z Zoją dla dwóch naszych magazynów podczas jej podróży do Włoch, której celem było zbieranie funduszy. Przyłączyła się do nas w holu hotelowym. Niezwykle przyjazna i atrakcyjna, miała na sobie szarą sukienkę z chustą zakrywającą ramiona – przyszło nam do głowy, że w jej ojczyźnie nawet ona nie uchroniłaby jej przed publiczną chłostą.

Patrząc uważnie, mówiła z przekonaniem, które dodawało powagi jej młodemu wiekowi. Jej pełen wdzięku sposób bycia kontrastował z opowieściami, których słuchaliśmy i które często wydawały nam się niewiarygodne. Czuliśmy się jednak jej bliscy, identyfikowaliśmy się z jej nadziejami. Uderzył nas niezwykły optymizm tej kobiety:

pragnęła uczyć swe rodaczki czytania i pisania w kraju, gdzie większość z nich to analfabetki, leczyć chore kobiety w kraju, gdzie władze ogłosiły, że powinny raczej umrzeć, niż pójść do lekarzy mężczyzn, mówić o sprawiedliwości i demokracji w kraju, gdzie jedynym obowiązującym prawem jest zasada oko za oko, ząb za ząb.

Po wywiadzie spytaliśmy, czy nie zechciałaby wybrać się z nami na spacer – czuliśmy, że musimy spędzić z nią więcej czasu, już bez magnetofonu. Padało, ale szybko się zgodziła. Nie przejmowała się deszczem, nie chciała nawet wziąć parasola. Powiedziała, że żyła na wygnaniu na pustyni i że lubi deszcz. Kiedy wróciliśmy do hotelu, poprosiła, byśmy zaczekali i poszła po coś do swojego pokoju. Był to prezent, ręcznie kute żelazne puzderko, wykładane czarnymi kamieniami; w środku znajdował się naszyjnik, bransoletka, pierścionek i kolczyki, wszystko ze srebra i niebieskiej emalii. Zoja wyjaśniła, że biżuterię tę wykonano w obozie dla uchodźców.

Kiedy zadzwoniliśmy do niej po jakimś czasie, proponując napisanie wspólnie książki, jej pierwsze pytanie brzmiało: „Dlaczego nie napiszecie o kimś innym? Co takiego niezwykłego jest w mojej historii?". W końcu się zgodziła, mówiąc, że pragnie, by książka ta wyrażała w całej pełni cierpienie wszystkich kobiet afgańskich. Przyjechała do Rzymu na dłużej, byśmy mogli wypytać dokładnie o jej życie. Ze względów bezpieczeństwa tylko najbliżsi jej ludzie wiedzieli, gdzie przebywa.

Słuchaliśmy jej, a ona oprowadzała nas po swoim świecie. Odczuwaliśmy razem z nią klaustrofobiczne więzienie burki, słyszeliśmy świst talibskiego bata przecinającego powietrze, widzieliśmy łzy matek, które straciły synów. Lecz Zoja bawiła nas też swoim zaraźliwym poczuciem humoru i opowieściami o najbardziej absurdalnych aspektach życia pod rządami religijnych fundamentalistów.

Jest kilka osób, którym należą się podziękowania za pomoc przy wydaniu tej książki: Cristina Cattafesta z organizacji Emergency i Edoardo Bai; Luca Lopresti z Amnesty International; nasi pracodawcy, którzy dali nam czas na jej napisanie, Sean Ryan, Paola Palleschi i Camillo Ricci; Anne Keefe, która szybko zapisała tekst z taśm z naszymi nagraniami i dodawała nam otuchy; nasz wydawca Michael Morrison, który poparł z entuzjazmem nasz pomysł; nasz redaktor naczelny Claire Wachtel, która przyłączyła się do nas na ostatnim etapie pracy; nasza agentka Clare Alexander, która wspomagała nas radą od samego początku; i nasze rodziny, które dodawały nam sił.

Mamy nadzieję, że prędzej czy później odwiedzimy Zoję w Kabulu, gdzie będzie żyła zgodnie ze swymi pragnieniami.

John Follain i Rita Cristofari
Rzym, styczeń 2002

CHRONOLOGIA

1839–42 – pierwsza wojna brytyjsko-afgańska.

1878–80 – druga wojna brytyjsko-afgańska. Wielka Brytania zaczyna kontrolować politykę zagraniczną Afganistanu.

1880–1901 – emir Abdurrahman podbija Afganistan. Zostają nakreślone współczesne granice Afganistanu.

1933–73 – rządy obejmuje król Muhammad Zahir Szah.

1959 – premier Daud Khan i pozostali ministrowie jego rządu pojawiają się w czasie oficjalnych uroczystości w towarzystwie żon i córek, które nie zakrywają twarzy, co wywołuje zamieszki sprowokowane przez przywódców religijnych.

1964 – ogłoszenie konstytucji proklamującej równość prawną mężczyzn i kobiet doprowadza do dalszych niepokojów.

Lipiec 1973 – król Zahir Szah zostaje zdetronizowany przez premiera Dauda (wypoczywa wówczas nad Zatoką Neapolitańską).

Kwiecień 1978 – komunistyczny przewrót wojskowy. Władzę przejmuje Ludowa Partia Demokratyczna Afganistanu.

Grudzień 1979 – wkroczenie wojsk radzieckich. Bojownicy mudżahedińscy rozpoczynają walkę z okupantem.

Luty 1986 – radziecki przywódca, Michaił Gorbaczow, określa Afganistan jako „krwawiącą ranę" i oznajmia, że należy wycofać wojska.

Luty 1989 – radzieckie wojska wycofują się z Afganistanu.

Kwiecień 1992 – władzę w Kabulu przejmuje rząd mudżahedinów. Prezydent Nadżibullah szuka schronienia na terenie siedziby ONZ.

1993 – ginie około 10 000 cywilów w wyniku walk między prezydentem Rabbanim a Gulbuddinem Hekmatiarem.

Listopad 1994 – talibowie zdobywają Kandahar.

Wrzesień 1995 – talibowie zdobywają Herat.

Listopad 1995 – talibowie prowadzą ostrzał rakietowy Kabulu; siły rządowe odpierają ich atak.

Wrzesień 1996 – talibowie zdobywają Dżalalabad i Kabul. Egzekucja Nadżibullaha i jego brata.

Sierpień 1998 – Osama bin Laden oskarżany o wysadzenie ambasady amerykańskiej w Kenii i Tanzanii. Mułła Omar obiecuje udzielić schronienia bin Ladenowi. Atak rakietowy USA na obozy bin Ladena w Dżalalabadzie i Khost.

Czerwiec 1999 – FBI ogłasza, że bin Laden jest numerem jeden na liście najbardziej poszukiwanych przestępców świata.

Styczeń 2001 – talibowie dokonują masakry około 300 cywilów w Jakaolang.

Marzec 2001 – talibowie niszczą gigantyczne posągi Buddy w dolinie Bamjan.

Wrzesień 2001 – bin Laden oskarżany o porwania samolotów i ataki na wieże World Trade Center oraz Pentagon.

Październik 2001 – USA i Wielka Brytania rozpoczynają bombardowania baz Al-Kaidy, organizacji bin Ladena.

Listopad 2001 – Sojusz Północny zdobywa Kabul.